Y0-AGH-833

Coordinación general: Equipo Susaeta
Edición: Ana Doblado
Selección, adaptación y prólogo: José Morán
Ilustraciones: Antonio Perera
Diseño de cubierta: Virginia Martín
Tratamiento de imágenes y diagramación:
  José de Haro

© SUSAETA EDICIONES, S.A. - Obra Colectiva
Campezo, s/n - 28022 Madrid
Tel.: 913 009 100 - Fax: 913 009 118
ediciones@susaeta.com

Washington Irving

Cuentos de la Alhambra

selección, adaptación y prólogo

José Morán

susaeta

De amores y otros tesoros

Washington Irving (1783-1859), considerado el primer escritor norteamericano de fama universal, fue un apasionado viajero que supo captar con singular sensibilidad el alma de los lugares que visitaba.

Fruto de uno de sus viajes es su inmortal obra *Cuentos de la Alhambra*, publicada en 1832, que todavía hoy resulta la mejor guía costumbrista y literaria de la monumental fortaleza granadina.

En ella el autor, fascinado por la magia de la tierra andaluza, reinventa las leyendas populares que escuchaba de viva voz a los lugareños, referidas sobre todo a los remotos tiempos de la dominación árabe en España, que eran narradas a la luz de la luna y al amor de la lumbre en las pintorescas tertulias espontáneas que tenían lugar en la plaza de los Aljibes, en el corazón de la Alhambra.

En plena época del romanticismo, el entusiasta viajero cuenta historias de bellas princesas moras, no menos hermosas cautivas cristianas, ancianos sabios orientales, reyes ambiciosos, miserables gobernadores y alguaciles, heroicos soldados, pajes enamoradizos, honrados, modestos trabajadores y muchos otros personajes asombrosos que viven o sobreviven con su destino a cuestas en el ambiente encantado de una Granada musulmana en donde todo es posible, con sus maravillosos jardines, el susurro de sus fuentes, el latido de sus campanas y el hechizo de sus tesoros escondidos.

Porque hay dos hilos conductores de los cuentos: primero, el amor que todo lo puede y no hace acepción de personas; después, los tesoros, reales y soñados, que tienen su base histórica en la huida de los moriscos en tiempos de la Reconquista, pues en su precipitada marcha escondían sus fortunas con idea de recuperarlas cuando pudieran volver a su querida tierra granadina.

Con un estilo amenísimo y decimonónico, fresco y musical, ingenioso y colorista, Irving nos embruja con una maravillosa obra literaria para todas las edades, considerada por muchos como *Las mil y una noches* granadinas, por la que no ha pasado el tiempo, de modo que el afortunado lector comprenderá que en realidad él también ha encontrado un tesoro inagotable.

Las tres hermosas Princesas

EN TIEMPOS ANTIGUOS reinaba en Granada un monarca moro llamado Mohamed, al cual sus vasallos daban el sobrenombre de *el Zurdo,* ya que por desgracia o falta de tacto, sufría mil contrariedades.

Paseando a caballo cierto día Mohamed, con gran séquito de sus cortesanos, por la falda de Sierra Elvira, tropezó con un piquete de caballería que regresaba de hacer una escaramuza en el país de los cristianos. Conducían una larga fila de mulas cargadas con botín y multitud de cautivos de ambos sexos. Entre las cautivas venía una hermosa joven, ricamente vestida, que iba llorando sobre un pequeño palafrén, sin que bastaran para consolarla las frases que le dirigía una dueña que la acompañaba.

Quedó prendado el rey de su hermosura. Averiguó que era la hija del alcaide de una fortaleza que habían saqueado durante la incursión, así que la tomó como la parte que le correspondía de aquel botín.

El monarca, cada vez más enamorado de ella, decidió hacerla su esposa. La joven cristiana rechazó en un principio sus proposiciones, pues era moro, enemigo de su país y, lo que era peor, ¡estaba bastante entrado en años!

Mohamed decidió entonces atraerse a la dueña que venía prisionera con la joven cristiana, la discreta Kadiga. Apenas el rey moro se puso al habla con ella, vio su habilidad para convencer, así que le confió el emprender la conquista de su joven señora.

—¿A qué vienen ese llanto y esa tristeza? —le decía Kadiga a su señora—, ¿no es mejor ser sultana de este hermoso palacio, adornado de jardines y fuentes, que vivir encerrada en la vieja torre fronteriza de vuestro padre? ¿Qué importa que Mohamed sea infiel? Os casáis con él, no con su religión; y si es un poquito viejo, más pronto os quedaréis viuda y dueña de vuestro albedrío.

Los argumentos de la discreta Kadiga hicieron su efecto. La joven cristiana accedió al fin a ser esposa de Mohamed, adoptando al parecer la religión de su esposo. También la astuta dueña aceptó hacerse fervorosa partidaria de la religión mahometana.

Un tiempo después, el rey moro fue padre de tres hermosísimas princesas, habidas en un mismo parto.

Siguiendo la costumbre de los califas musulmanes, convocó a sus astrólogos para consultarles sobre tan fausto suceso. Hecho por los sabios el horóscopo, le dijeron a Mohamed que sus hijas iban a necesitar mucho de su vigilancia cuando estuviesen en edad de casarse. «Al llegar ese tiempo, recógelas bajo tus alas y no las confíes a persona alguna», le aconsejaron.

El triple nacimiento fue el único del monarca, pues la reina no dio a luz más hijos, y murió pocos años después, dejando confiadas sus tiernas niñas al amor y fidelidad de la discreta Kadiga.

Muchos años hubieron de pasar para que las princesas llegasen a la edad del peligro: a la edad de casarse. «Es bueno, con todo, precaverse con tiempo», se dijo el astuto monarca; y resolvió encerrarlas en el castillo real de Salobreña, suntuoso palacio incrustado en una fortaleza morisca situada en la cima de una montaña, desde la que se dominaba el mar Mediterráneo.

Allí permanecieron las princesas, separadas del mundo pero rodeadas de comodidades. Tenían para su recreo deliciosos jardines llenos de flores y frutas, con arboledas aromáticas y perfumados baños. En esta deliciosa morada, las tres princesas crecieron con maravillosa hermosura. Se llamaban Zayda, Zorayda y Zorahayda, y este era su orden por edades, pues habían tenido tres minutos de intervalo al nacer.

Zayda, la mayor, era de espíritu intrépido, y siempre se ponía al frente de sus hermanas para todo.

Zorayda era apasionada de la belleza y se deleitaba mirando su propia imagen en un espejo o en las cristalinas aguas de una fuente.

Zorahayda, la menor, era dulce, tímida y extremadamente sensible, derramaba siempre ternura.

Así pasaron los años.

La discreta Kadiga, a quien las princesas estaban confiadas, cumplía lealmente su custodia y las servía con perseverante cuidado.

Hallándose en cierta ocasión sentada la curiosa Zayda en una de las ventanas de una especie de pabellón que tenía el castillo, se fijó en una galera que venía costeando a mesurados golpes de remo. Cuando se fue acercando, observó que estaba llena de hombres armados. La galera ancló al pie de la torre y un pelotón de soldados moriscos desembarcó en la playa conduciendo varios prisioneros cristianos. Zayda avisó inmediatamente a sus hermanas y las tres se pusieron a observar cautelosamente por la espesa celosía de la ventana, que las liberaba de ser vistas.

Entre los prisioneros venían tres caballeros españoles ricamente vestidos. Estaban en la flor de su juventud y eran de noble presencia. Las princesas miraban con anhelante interés; y si se tiene en cuenta que vivían encerradas en aquel castillo, no es extraño que produjera una gran emoción en sus corazones la presencia de aquellos tres apuestos caballeros radiantes de juventud y de varonil belleza.

—¿Habrá en la Tierra ser más noble que aquel caballero vestido de carmesí? —dijo Zayda—. ¡Mirad qué arrogante va, como si todos los que le rodean fuesen sus esclavos!

—¡Fijaos en aquel otro, vestido de azul! —exclamó Zorayda—. ¡Qué hermosura! ¡Qué elegancia! ¡Qué porte!

La gentil Zorahayda nada dijo, pero prefirió en su interior al caballero vestido de verde.

Las princesas siguieron observando hasta que perdieron de vista a los prisioneros; entonces, suspirando tristemente se volvieron, mirándose un momento unas a otras, sentándose, meditabundas y pensativas, en sus otomanas.

La discreta Kadiga las encontró en tal actitud. Le contaron ellas lo que habían visto, y aun el apagado corazón de la dueña se sintió también conmovido.

17

—¡Pobres jóvenes! —exclamó—. ¡Ah, hijas mías! No os hacéis una idea de la vida que llevan estos caballeros en su patria. ¡Qué justas y torneos! ¡Qué respeto a sus damas! ¡Qué modo de enamorar y de dar serenatas!

La curiosidad de Zayda se acrecentó en extremo y no se cansaba de preguntar ni de oír de labios de la dueña la animada pintura de los episodios de sus días juveniles allá en su país.

Al fin, la astuta Kadiga cayó en la cuenta del daño que acaso estaba ocasionando: tenía ya ante sí tres hermosísimas jóvenes casaderas.

«Ya es tiempo —pensó la dueña— de avisar al rey». Así pues, envió a Mohamed un mensaje.

—Ya ha llegado el periodo señalado por los astrólogos —se dijo el monarca—: mis hijas están en edad de casarse. ¿Qué haré? Están ocultas a las miradas de los hombres y bajo la custodia de la discreta Kadiga. Todo marcha bien, pero no están bajo mi vigilancia, como me previnieron los astrólogos; debo, pues, recogerlas bajo mis alas y no confiarlas a nadie.

Así diciendo, ordenó que preparasen una de las torres de la Alhambra para que les sirviera de vivienda, y partió a la cabeza de sus guardias hacia la fortaleza de Salobreña, para traerlas él en persona.

Habían transcurrido diez años desde que Mohamed había visto por última vez a sus hijas, y no daba crédito a sus ojos contemplando el maravilloso cambio que se había verificado en ellas.

Mohamed preparó su regreso a Granada, enviando a la descubierta heraldos y ordenando que nadie transitase por el camino por donde tenía que pasar la comitiva y que todas las puertas y ventanas estuviesen cerradas al aproximarse las princesas. Prevenido todo, se puso en marcha escoltado por un escuadrón de caballería.

Las princesas cabalgaban junto al rey, tapadas con tupidos velos, en hermosos palafrenes blancos. Estos estaban cubiertos de campanillas de plata, que producían una música muy agradable cuando iban andando.

Ya se aproximaba la cabalgata a Granada cuando se vio en uno de los bancos de la ribera del Genil un pequeño cuerpo de soldados que conducían un convoy de prisioneros. Ya era demasiado tarde para que se apartaran aquellos hombres del camino, por lo cual se echaron los soldados al suelo con los rostros mirando la tierra, y ordenaron a los cautivos que hicieran lo mismo.

Los tres apuestos caballeros que las princesas habían visto desde el pabellón y que iban en el convoy de los prisioneros, permanecieron en pie, contemplando la comitiva que se aproximaba.

Encendiose el monarca de ira viendo que no se cumplían sus mandatos, y desenvainando su cimitarra y adelantándose hacia ellos, iba a esgrimirla con su brazo zurdo, cuando las princesas le rodearon e imploraron piedad para los prisioneros. Mohamed se detuvo con la cimitarra levantada cuando el capitán de la guardia le dijo arrojándose a sus pies:

—No ejecute vuestra majestad una acción que escandalizaría a todo el reino. Estos son tres bravos y nobles caballeros españoles que han caído prisioneros en el campo de batalla, batiéndose como leones; son de alto linaje y pueden ser rescatados a buen precio.

—¡Basta! —dijo el rey—, les perdonaré la vida, pero castigaré su audacia: que los lleven a las Torres Bermejas y que los entreguen a los trabajos más duros y penosos.

Mohamed estaba cometiendo, sin saberlo, un desatino, pues con el tumulto y agitación de esta borrascosa escena dio lugar a que se levantasen los velos las tres princesas, dejando a la vista su radiante hermosura.

Y con seguir el rey hablando, dio ocasión para que la belleza produjera sus estragos.

Los corazones de los tres caballeros quedaron por completo cautivados, sobre todo porque la gratitud se unía a la admiración. Y las princesas se admiraron también más que nunca del noble porte de los cautivos, regocijándose en su interior de cuanto habían oído acerca de su valor y noble linaje.

La residencia preparada para las princesas era lo más paradisiaco que podía imaginar la fantasía: una maravillosa torre apartada del palacio principal de la Alhambra, aunque comunicada con él por la muralla que rodeaba la cumbre de la colina.

El rey esperaba ver a las princesas entusiasmadas en la Alhambra. Pero, para gran sorpresa suya, empezaron a languidecer y a tornarse melancólicas, sin que nada, ni siquiera los bellos jardines, y el canto de los pájaros y la música de las fuentes las satisficiera.

Entonces el monarca llamó a las modistas, los joyeros y los artistas del Zacatín de Granada, y abrumó a las princesas con vestidos de seda, de tisú y brocados, chales de Cachemira, collares de perlas y diamantes, anillos, brazaletes y toda clase de objetos preciosos.

A pesar de todo esto, nada dio resultado: las princesas siguieron palideciendo, tristes en medio de tanto lujo y suntuosidad. El rey no sabía ya qué hacer.

—Kadiga —dijo—, deseo que averigües la secreta enfermedad que se ha apoderado de las princesas y que descubras los medios para devolverles la salud y la alegría.

Kadiga le prometió obediencia. Ella conocía mejor que las propias infantas la enfermedad de que adolecían y encerrándose con ellas procuró ganarse su confianza.

—Mis queridas niñas, ¿qué razón hay para que os mostréis tristes y apesadumbradas en un sitio tan delicioso como este, y donde tenéis todo cuanto el alma pueda desear?

Las princesas miraron melancólicamente en torno del salón y lanzaron un suspiro.

—¿Qué más queréis? ¿Queréis que os haga venir al famoso cantor negro Casem?

—Me aterroriza el mirar a los esclavos negros —dijo la dulce Zorahayda—; además, he perdido la afición a la música.

—¡Ay, hija mía! No dirías eso —dijo la anciana maliciosamente— si hubieras escuchado la música que yo oí anoche a los tres caballeros españoles con quienes tropezamos en nuestro viaje. Pero... ¿por qué os ponéis, niñas, tan ruborizadas y en tal estado de turbación?

27

—¡No es nada, no es nada, buena madre! Seguid...

—Pues bien, cuando pasé ayer por la noche junto a las Torres Bermejas vi a los tres caballeros descansando del rudo trabajo del día. Uno de ellos estaba tocando la guitarra tan gallardamente... mientras los otros cantaban, alternando, con tal estilo, que los mismos guardias parecían estatuas u hombres encantados.

—¿Y no pudierais, madre, procurar que viésemos a esos nobles caballeros? —preguntó Zayda.

—Yo creo —añadió Zorayda— que un poco de música nos reanimaría extraordinariamente.

La tímida Zorahayda no dijo nada, pero echó los brazos al cuello de Kadiga.

¿Qué hacer? Aunque era la servidora más fiel del rey, con todo, ¿tendría valor para destrozar el corazón de aquellas tres hermosas criaturas por el simple toque de una guitarra? Además, aunque llevaba tanto tiempo entre moros y había cambiado de religión, haciendo lo propio que su antigua señora, al fin era cristiana de nacimiento y tenía sus creencias en el fondo del corazón, por lo cual se propuso buscar el modo de dar gusto a las princesas.

Los cautivos cristianos, presos en las Torres Bermejas, estaban a cargo de un renegado llamado Hussein Baba, que tenía fama de ser muy aficionado al dinero. Kadiga fue a verlo privadamente y, deslizándole en la mano una moneda de oro de buen peso, le dijo:

—Hussein Baba, mis señoritas, las tres princesas que están encerradas en la torre de las Infantas, aburridas y faltas de distracción, quieren oír los primores musicales de los tres caballeros españoles.

—¿Cómo? ¿Para que luego cuelguen mi cabeza sobre la puerta de la torre? Porque ese sería el castigo si el rey llegara a enterarse.

—No debéis temer, pues podemos arreglar el asunto de modo que complazcamos a las princesas sin que su padre se entere de nada. Bien conocéis la honda cañada que pasa por el pie de la torre; poned a los tres cristianos para que trabajen allí y, en los intermedios del trabajo, dejadlos cantar y tocar como si fuera para su propio recreo.

La buena anciana concluyó su parlamento depositando otra moneda de oro en la ruda mano del renegado.

Su elocuencia fue irresistible: al día siguiente los tres caballeros cautivos fueron llevados a trabajar en el valle, junto a la misma Torre de las Infantas; y durante las horas calurosas de mediodía, sentados sobre la hierba, comenzaron a cantar trovas españolas al melodioso son de las guitarras.

Las princesas escuchaban desde el ajimez, y como su aya les había enseñado la lengua castellana, se deleitaban en extremo oyendo las tiernas endechas de sus apuestos trovadores. La juiciosa Kadiga, por el contrario, afectaba sentirse indignada.

—¡Alá nos saque con bien! —exclamó—, ¡ya están esos señores cantando trovas amorosas dirigidas a vosotras! ¿Habrase visto audacia tal? ¡Voy a ver ahora mismo al capataz de los esclavos para que los apaleen sin compasión!

—¿Apalear a tan galantes caballeros porque cantan con singular habilidad y dulzura?

Las hermosas princesas se horrorizaron ante semejante cruel idea. La honesta indignación de la buena dueña se calmó fácilmente. Por otro lado, parecía que la música había producido un efecto benéfico en sus señoritas, pues sus mejillas se iban sonrosando poco a poco y sus lindos ojos volvían a encenderse.

Cuando concluyeron estos de cantar, las princesas quedaron silenciosas por un breve momento, pero enseguida Zorayda cogió su laúd y, con voz débil y emocionada, entonó una ligera tonadilla, cuya letra decía así:

En su lecho de verdor
crece la rosa escondida,
escuchando complacida
los trinos del ruiseñor.

Desde entonces, los caballeros eran traídos casi todos los días a los trabajos de la cañada.

Mas he aquí que esta correspondencia se interrumpió durante unos días, pues no volvieron a aparecer los caballeros cristianos en el valle. La discreta Kadiga salió para enterarse de lo que sucedía y volvió al poco tiempo con el rostro descompuesto por la turbación.

—¡Ay, niñas mías! —gritó—. ¡Ya preveía yo en lo que vendría a parar todo esto, pero así lo quisisteis vosotras! Ya podéis colgar vuestros laúdes en los sauces, pues los caballeros españoles han sido rescatados por sus familias y estarán a estas horas en Granada disponiéndose para regresar a su patria.

Las enamoradas infantas quedaron completamente desconsoladas los dos primeros días.

En la mañana del tercero, Kadiga entró en la estancia donde se encontraban, trémula de indignación.

—¡Quién lo hubiera creído! Pero me está bien empleado por haber hecho traición a vuestro padre. ¡No me habléis jamás de tales caballeros cristianos!

—Pero, ¿qué ha sucedido, buena Kadiga? —exclamaron las tres princesas con anhelante ansiedad.

—¿Que qué ha sucedido? ¡Pues que han hecho traición, o lo que es lo mismo, me han propuesto hacer una traición! ¡A mí, a la más fiel de todos los vasallos! Sí, hijas mías, los caballeros españoles se han atrevido a proponerme que os persuada para que huyáis con ellos a Córdoba, donde os harán sus esposas.

Al llegar a este punto, Kadiga se cubrió el rostro con las manos y afectó dar rienda suelta a un violento acceso de pena e indignación. Las tres princesas tan pronto se ponían rojas como pálidas, temblaban dirigiendo sus ojos al suelo y se miraban de reojo unas a otras sin pronunciar palabra.

Al fin, la mayor de las princesas, que era la que poseía más valor y la que siempre se colocaba a la cabeza de sus hermanas, se aproximó a su querida aya y le dijo:

—Y bien, madre; si nosotras quisiéramos huir con los caballeros cristianos, ¿sería eso posible?

—¡Posible! ¡Ya lo creo que es posible! ¿Pues no han sobornado ya los caballeros al renegado capitán de la guardia, Hussein Baba, y concertado con él el plan de evasión? Pero ¡engañar a vuestro padre, que ha depositado en mí toda su confianza...!

—Pero nuestro padre nunca ha puesto su confianza en nosotras —replicó la mayor de las princesas—; por el contrario, nos ha tratado más bien como a unas miserables cautivas.

—Eso sí es verdad —dijo a su vez la dueña, haciendo otro paréntesis en sus lamentaciones—. Os ha tratado de un modo indigno, encerrándoos aquí para que se marchite vuestra hermosura en esta vieja torre. Sin embargo, hijas, ¡abandonar vuestro país natal...!

—¿Pues acaso la tierra adonde huiríamos no es la patria de nuestra madre y donde viviríamos en libertad? ¿Y no sería preferible tener un marido joven y cariñoso en vez de un padre viejo y severo?

—¡Calla, pues es verdad también todo eso! Y hay que confesar que vuestro padre es bastante tirano. ¡Pero pensadlo muy bien, hijas mías! ¿Tendréis valor para renunciar a la religión de vuestro padre?

—La religión de Cristo fue la primera profesada por nuestra madre —dijo la princesa mayor—; yo estoy dispuesta a convertirme y segura de que mis hermanas imitarán mi ejemplo.

—¡Tienes razón, hija mía! —exclamó la amorosa dueña rebosando alegría—. Esa fue la religión primitiva de vuestra madre, y se lamentó amargamente en su lecho de muerte de haber abjurado de ella. Yo le prometí entonces cuidar de vuestras almas, y ahora me lleno de júbilo viéndoos en camino de salvación. Sí, hijas del alma, yo también nací cristiana, he seguido siéndolo dentro de mi corazón y estoy resuelta a volver a mi antigua fe.

En una palabra: resultó que la discretísima y astuta dueña había celebrado una entrevista con los caballeros y el renegado, y que habían dejado concertado todo el plan de huida.

La escabrosa colina sobre la cual se edificó la Alhambra se halla minada con pasadizos subterráneos que conducen desde la fortaleza a varios sitios de la ciudad. Pues bien, por uno de esos pasadizos planeó Hussein Baba sacar a las infantas hasta una salida más allá de las murallas de la cuidad, donde los caballeros tendrían preparados ligeros corceles para huir rápidamente con ellas hasta la frontera.

39

Llegó la noche designada. La torre donde moraban las princesas fue cerrada como de costumbre y la Alhambra yacía en el más profundo silencio. A eso de la medianoche, Kadiga escuchó desde el ajimez a Hussein Baba, que ya estaba debajo y daba la señal. La dueña amarró el cabo de una escalera al ajimez y dejó caer esta al jardín, bajándose luego por ella. Las dos infantas mayores la siguieron con el corazón palpitante, pero cuando llegó el turno a Zorahayda, titubeó y tembló.

Aventuró varias veces el apoyar su delicado y menudo pie y otras tantas lo retiró, agitándose tanto más su pobre corazón cuanto más vacilaba. Es imposible describir la lucha que se daba en el turbado corazón de aquella pobre niña... A pesar de los ruegos de sus hermanas, su indecisión persistía.

A cada momento era mayor el riesgo de ser descubiertos. Se oyeron pasos lejanos. La infeliz Zorahayda se sintió presa de una agitación febril y, desatando la escala de cuerda con desesperada resolución, la dejó caer desde el ajimez.

—¡Todo se ha concluido! —exclamó—. ¡No me es posible ya la fuga! ¡Alá os guíe y os bendiga, amadas hermanas mías!

Las dos infantas mayores se horrorizaron al pensar que la iban a dejar sola, y ya hubieran preferido quedarse, pero la patrulla se acercaba y se vieron llevadas atropelladamente hasta el pasadizo subterráneo. Fuera del recinto, los caballeros españoles estaban aguardándolas disfrazados de soldados moriscos de la guardia que mandaba el renegado.

El amante de Zorahayda se desesperó cuando supo que aquella había rehusado abandonar la torre, pero no se podía perder el tiempo en inútiles lamentos. Las dos princesas fueron subidas a la grupa con sus amantes, y la discreta Kadiga montó detrás del renegado Hussein Baba, partiendo todos aprisa en dirección al Paso de Lope, que conduce por entre montañas a Córdoba.

No se hallaban aún muy lejos cuando oyeron el ruido de tambores y trompetas en las murallas de la Alhambra.

Corrían y corrían vertiginosamente, pero al propio tiempo que galopaban vieron que la luz de la Alhambra era contestada en todas las direcciones desde las atalayas de las montañas.

—¡Adelante! ¡Adelante! —gritaba el renegado—. ¡Al puente, al puente, antes que la alarma haya cundido hasta allí!

En la torre del puente se veían numerosas luces y brillaban en ellas las armaduras de los soldados. El renegado, haciendo una señal a los caballeros, se salió del camino, costeando el río hasta que se metió dentro de sus aguas. Llegaron a la orilla opuesta y fueron guiados por el renegado a través de escabrosos pasos y ásperos barrancos por el interior de las montañas.

Lograron llegar así a la antigua ciudad de Córdoba, donde fueron celebrados con grandes fiestas. Las princesas fueron recibidas en el seno de la Iglesia y, después de haber abrazado la santa fe cristiana, se hicieron esposas y vivieron felicísimas.

Poco se sabe de la reacción del monarca cuando descubrió la evasión de sus hijas. Sin embargo, lo que sí se sabe es que tuvo buen cuidado de guardar a la hija que le quedaba, a la infeliz que no había tenido ánimos para escaparse.

Se cree también que la princesa se arrepintió interiormente de haberse quedado dentro de la torre, y cuentan que de vez en cuando se la veía apoyada en la muralla, mirando tristemente las montañas en dirección a Córdoba, y que otras veces se oían los acordes de su laúd acompañando sentidas canciones, en las cuales se lamentaba de la pérdida de sus hermanas y de su amado, condoliéndose al mismo tiempo de su solitaria existencia.

Murió joven y, según el rumor
popular, fue sepultada en una
bóveda debajo de la torre,
dando lugar su prematuro fin a
más de una leyenda.

45

El astrólogo árabe

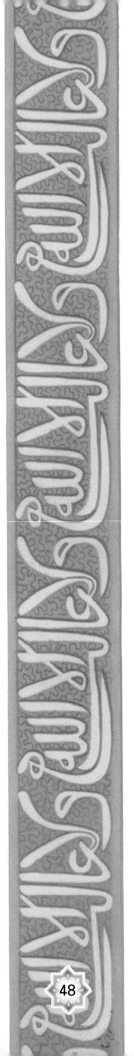

ACE YA MUCHOS SIGLOS, había un rey moro llamado Aben-Habuz, que gobernaba el reino de Granada. Era un guerrillero ya retirado, que tras una vida de pillaje y pelea, débil y achacoso como estaba, anhelaba ya tan solo gozar de los Estados usurpados a sus vecinos.

Sucedió, sin embargo, que el viejo monarca tuvo por entonces que luchar con algunos jóvenes príncipes, dispuestos a pedirle cuentas de sus usurpaciones. Viéndose rodeado de descontentos y con el inconveniente de la posición topográfica de Granada, circundada de agrestes montañas que ocultaban la aproximación del enemigo, el infortunado Aben-Habuz vivía alarmado y vigilante ante el peligro de cualquier inminente ataque.

En medio de aquellas circunstancias, llegó a la corte del rey un antiguo médico árabe, que había ido peregrinando a pie desde Egipto hasta Granada, sin otra ayuda que un viejo báculo cubierto de jeroglíficos. Se llamaba Ibrahim y se le creía contemporáneo de Mahoma, pues era hijo de Abu Ajib, el último compañero del Profeta.

Habitó durante muchos años en Egipto, donde estudió en particular la magia. Se decía de él que había encontrado el secreto para prolongar la vida y que así había llegado a la larga edad de más de dos siglos.

El singular anciano fue bien recibido por el monarca, que había comenzado a hacer de los médicos sus favoritos. Quiso instalarlo en su palacio, pero el astrólogo prefirió una cueva que había en la falda de la colina sobre la que se halla la Alhambra. Un agujero circular en el techo le permitía mirar el firmamento día y noche.

En muy poco tiempo, el sabio Ibrahim llegó a ser el consejero del rey, el cual le consultaba cuando se veía en alguna tribulación. Estando una vez Aben-Habuz lamentando la perpetua vigilancia que se veía obligado a observar para guardarse de las invasiones, el astrólogo le dijo:

—Sabed, ¡oh, rey!, que cuando yo estaba en Egipto vi una gran maravilla inventada por una sacerdotisa pagana de la Antigüedad. En una montaña que domina la ciudad de Borsa, y mirando al gran valle del Nilo, había una figura que representaba un carnero y encima de él un gallo, fundidos en bronce, y que giraban sobre un eje. Cuando el país estaba amenazado por alguna invasión, el carnero señalaba en dirección del enemigo y el gallo cantaba, dando tiempo a los habitantes de la ciudad para poderse defender.

—¡Gran Dios! —exclamó el atribulado Aben-Habuz—. ¡Qué tesoro sería para mí un carnero semejante y un gallo que cantase cuando se acercara el peligro!

51

—¡Oh, rey! Domino todas las artes mágicas. El misterio del talismán de Borsa me es tan conocido que puedo hacer uno como aquel, y aun con más grandes virtudes.

—¡Oh, sabio hijo de Abu Ajib! Necesito ese talismán. Dame tal salvaguardia y dispón de todas las riquezas de mi tesorería.

El astrólogo se puso inmediatamente a trabajar para satisfacer los deseos del monarca. Levantó una gran torre en lo más alto del palacio real. Allí preparó una sala circular con ventanas que miraban a todos los puntos del cuadrante y, delante de cada una de estas, colocó unas mesas sobre las cuales se hallaban formados —lo mismo que en un tablero de ajedrez— pequeños ejércitos de infantería y caballería tallados en madera, con la figura del soberano que gobernaba en aquella dirección. Además, en cada una de las mesas había una pequeña lanza del tamaño de un punzón.

En lo alto de la torre colocó una figura de bronce que representaba a un moro a caballo que giraba sobre su eje, con su escudo en el brazo y su lanza elevada perpendicularmente. La cara del jinete miraba hacia la ciudad, como si la custodiara, pero, si se aproximaba algún enemigo, la figura señalaba en aquella dirección y blandía la lanza en ademán de acometer.

Cuando el talismán estuvo concluido, Aben-Habuz no podía esperar para experimentar las virtudes del ingenio. Y sus deseos se vieron satisfechos bien pronto, pues cierta mañana el centinela que guardaba la torre trajo la noticia de que el jinete de bronce señalaba hacia la Sierra Elvira y que su lanza apuntaba directamente hacia el Paso de Lope.

—¡Que las tropas y tambores toquen a las armas y que toda Granada se ponga a la defensiva! —dijo Aben-Habuz.

53

—¡Oh, rey! —le respondió el astrólogo—. No necesito fuerza alguna para librarte de tus enemigos. Manda que se retiren tus servidores y subamos solos al salón secreto de la torre.

Subieron y abriendo la puerta de bronce penetraron en su interior. La ventana que miraba hacia el Paso de Lope estaba abierta.

—En aquella dirección —dijo el astrólogo— está el peligro; acércate y observa el misterio de la mesa.

El rey Aben-Habuz se acercó a lo que parecía un tablero de ajedrez con figuras de madera y con gran sorpresa suya vio que todas estaban en movimiento: los caballos se espantaban y encabritaban, los guerreros blandían sus armas, y se oía el débil sonido de tambores y trompetas, el choque de armas y el relincho de corceles.

—He aquí —dijo el astrólogo— la prueba de que tus enemigos están todavía en el campo.

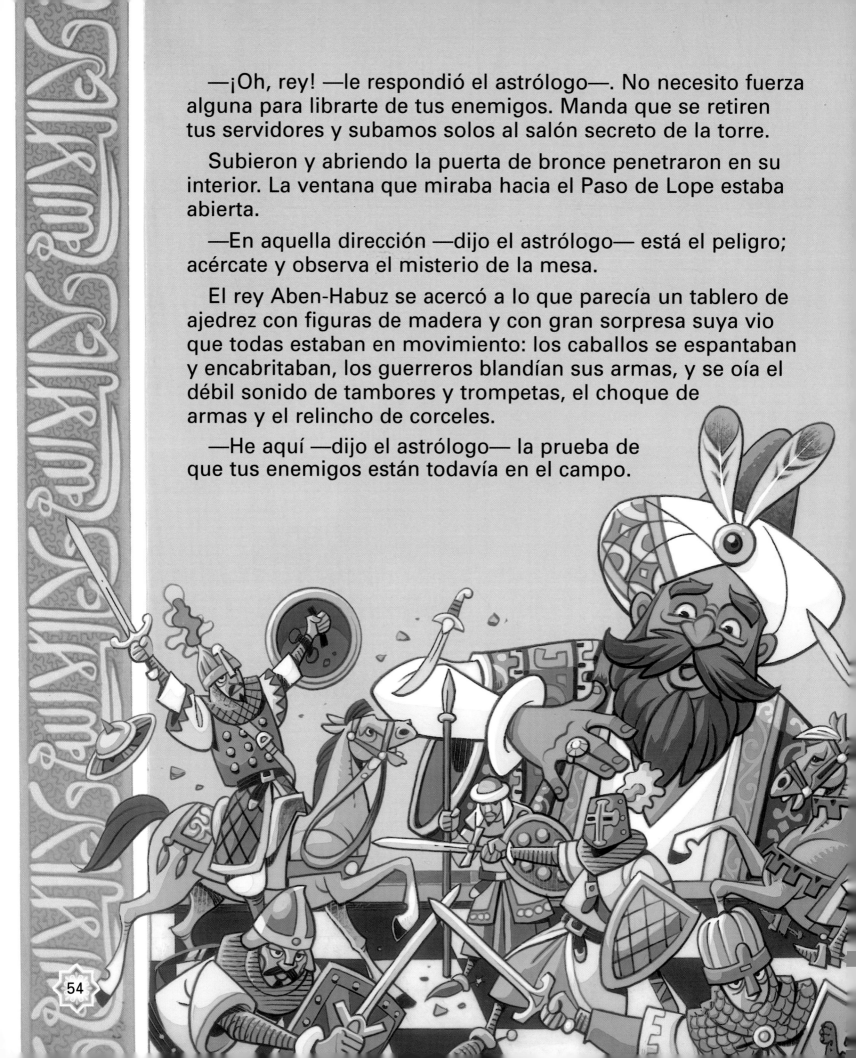

Si quieres sembrar el pánico y la confusión entre ellos, y obligarlos a que se retiren sin efusión de sangre, golpea estas figuras con el asta de esta lanza mágica; pero si quieres que haya derramamiento de sangre, hiéreles con la punta.

El rostro del pacífico Aben-Habuz se cubrió con un tinte lívido y se acercó vacilando a la mesa, mostrando en su barba trémula un gran estado de exaltación:

—¡Hijo de Abu Ajib, va a haber alguna sangre! —exclamó, e hirió con la lanza mágica a algunas de las diminutas figuras y tocó a otras con el asta, con lo cual algunas cayeron como muertas sobre la mesa, y las demás, volviéndose las unas contra las otras, trabaron pelea.

Trabajo le costó al astrólogo contener la mano de aquel monarca y oponerse a que exterminase por completo a sus enemigos; finalmente, pudo conseguir que se retirase de la torre y que enviase avanzadas por el Paso de Lope.

Volvieron aquellas con la noticia de que un ejército cristiano se había internado por el corazón de la sierra casi hasta Granada y que había habido entre ellos una desavenencia, enfrentándose unos contra otros, hasta que, después de una gran carnicería, se retiraron a sus fronteras.

Aben-Habuz enloqueció de alegría al ver la eficacia de su talismán.

—Al fin —dijo— podré gozar de una vida tranquila y tendré a todos mis enemigos bajo mi poder. ¡Oh, sabio hijo de Abu Ajib! ¿Qué podré otorgarte como premio a tal maravilla?

—Las necesidades de un anciano y un filósofo, ¡oh, rey!, son escasas y bien sencillas; solamente deseo que me proporciones los medios para que pueda poner habitable mi cueva.

—¡Cuán noble es la templanza del verdadero sabio! —exclamó Aben-Habuz, regocijándose interiormente por tan exigua recompensa. Llamó, pues, a su tesorero, y le dio orden de entregar a Ibrahim la cantidad necesaria para arreglar y amueblar su cueva.

El astrólogo dispuso que abriesen otras habitaciones en la roca y las decoró y amuebló después con lujosas otomanas y divanes, haciendo cubrir las paredes con ricos tapices de seda de Damasco. También se hizo construir unos baños, con toda clase de perfumes y aceites aromáticos. Por fin, la vivienda quedó concluida, formando un suntuoso palacio subterráneo.

—Ya estoy contento —dijo Ibrahim Eben Abu Ajib al tesorero—. No deseo ya nada más que una pequeña bagatela para distraerme en los intermedios del trabajo mental. Me agradaría tener algunas bailarinas.

—¡Bailarinas! —exclamó sorprendido el tesorero.

—Sí, bailarinas —replicó gravemente el sabio—; con unas pocas es suficiente, pero que sean jóvenes y hermosas, para que pueda recrearme en ellas, contemplando su juventud y hermosura.

Mientras el filósofo Ibrahim se pasaba la vida estudiando en su vivienda, el «pacífico» Aben-Habuz se entretenía librando prodigiosas campañas desde su torre. Durante muchos años escarneció a sus enemigos para obligarles a que le atacasen, hasta que al fin ninguno se aventuraba a invadir sus territorios. Con el tiempo, el anciano monarca comenzó a echar de menos su distracción favorita, agriándose su carácter con la monótona tranquilidad de la paz.

Al fin, cierto día el guerrero mágico giró de repente y, bajando su lanza, señaló hacia las montañas de Guadix. Aben-Habuz subió a la torre, pero la mesa mágica, que estaba en aquella dirección, permanecía quieta y no se movía ni un solo guerrero. Sorprendido, el rey envió un destacamento de caballería a recorrer y registrar minuciosamente las montañas.

Pasados tres días, volvieron los exploradores y le dijeron:

—Hemos registrado todos los pasos de la montaña y lo único que hemos encontrado ha sido una joven cristiana de singular hermosura, y la hemos traído cautiva.

—¡Una joven de singular hermosura! —exclamó Aben-Habuz con los ojos chispeantes de júbilo—. ¡Que la conduzcan a mi presencia!

La hermosa joven le fue presentada; iba vestida con el lujo y el adorno que se usaba entre los hispanogodos en los tiempos de las conquistas de los árabes. El brillo de sus negros y refulgentes ojos fueron chispas de fuego para el viejo Aben-Habuz. La gentileza de aquel talle le hizo perder el seso y, frenético y fuera de sí, le preguntó:

—¡Oh, hermosísima mujer! ¿Quién eres? ¿Cómo te llamas?

—Soy hija de un príncipe cristiano, dueño y señor ayer de su reino y hoy reducido al cautiverio después de haber sido sus ejércitos aniquilados como por arte mágica.

—Cuidado ¡oh, rey! —dijo de repente Ibrahim, allí presente—, que esta joven parece ser una de esas hechiceras del Norte, que suelen tomar formas seductoras para engañar a los incautos. Me parece que adivino sus maleficios en los ojos y en sus ademanes. Este es, sin duda, el enemigo que indicaba el talismán.

—¡Hijo de Abu Ajib —replicó el rey—, tú serás muy sabio y muy previsor, pero no eres muy experto en asuntos de mujeres! Respecto a esta joven, no veo en ella nada maléfico: es hermosa en verdad y mis ojos encuentran suma complacencia recreándose en sus encantos.

—Escucha, ¡oh, rey! —le dijo el astrólogo—: te he proporcionado muchas victorias por medio de mi mágico talismán, pero nunca he participado del botín; dame pues esa cautiva, para que me distraiga en mi soledad pulsando la lira de plata. Si es, como sospecho, una hechicera, yo te proporcionaré un antídoto contra sus maleficios.

—¡Cómo!, ¿más mujeres? —le contestó Aben-Habuz—. ¿No tienes ya bastantes bailarinas para que te diviertan?

—Sí, tengo bastantes bailarinas, es cierto, pero no tengo ninguna cantora. Me agradaría tener mis ratos de música, que hiciesen descansar mi imaginación cuando está fatigada por el estudio.

—¡Vete al diablo con tus peticiones! —exclamó el rey—. Esta joven la tengo destinada para mí.

El sabio se retiró a su cueva, no sin antes aconsejarle repetidas veces al rey que no se fiara de su peligrosa cautiva. Pero el rey, desoyendo sus consejos, dio rienda suelta a su pasión. Revolvió el Zacatín de Granada comprando los más preciados productos orientales: sedas, piedras preciosas, alhajas, exquisitos perfumes y de todo lo imaginable para su hermosa cautiva.

Pero, a pesar de la esplendidez del viejo amante, nunca pudo vanagloriarse de haber interesado el corazón de la princesa; y si bien ella no le puso nunca mal semblante, tampoco le sonreía, y cuando él le declaraba su amorosa pasión, ella le correspondía tocando su lira de plata. Había, sin duda, cierta magia en los acordes de aquella lira, pues instantáneamente producían un efecto fatal en el anciano, que quedaba sumido en un irresistible sopor.

Mientras el regio amante pasaba los días en este estado de estupor y de imbecilidad, en Granada crecían y crecían las quejas y los rumores del pueblo a causa de los despilfarros que le costaban las fatales canciones de aquella favorita.

Entre tanto, los peligros arreciaban y contra ellos el famoso talismán mostró ser ineficaz. Los insurrectos llegaron hasta el propio palacio de Aben-Habuz. Pero de repente el apagado espíritu guerrero de este volvió a renacer, ahogando la sublevación.

Tras restablecerse la calma, Aben-Habuz buscó al astrólogo. Se le acercó en tono conciliador y le dijo:

—¡Oh, sabio hijo de Abu Ajib! Bien me anunciaste los peligros de la bella cautiva; dime, tú que evitas el peligro con tanta facilidad, qué debo hacer para librarme de él en adelante.

—Abandona al instante a la joven infiel, que es la causa de todo.

—¡Antes dejaría mi reino! —dijo con firmeza Aben-Habuz.

—Corres el peligro de perder lo uno y lo otro —le replicó Ibrahim.

—No seas duro y desconfiado, ¡oh, profundísimo filósofo! Considera la doble aflicción de un monarca y un amante, y encuentra algún medio para librarme de los desastres que me amenazan.

El astrólogo lo miró por unos momentos, frunciendo las cejas.

—¿Y qué me darías si te proporcionara el retiro que deseas?

—Tú mismo elegirás la recompensa.

—¿Has oído, ¡oh, rey!, hablar alguna vez del jardín del Irán, admiración de la Arabia Feliz?

—He oído hablar de ese jardín, que se cita en el Corán. He oído también contar cosas maravillosas sobre él a los peregrinos que vienen de La Meca, pero las creo fabulosas como muchas de las que cuentan los viajeros que han visitado remotos países.

—Aben-Habuz, todo cuanto se dice del palacio y del jardín del Irán es cierto, lo he visto con mis propios ojos. Un palacio y un jardín como ese puedo construirte aquí mismo, en la montaña que domina la ciudad. ¿No conozco todos los secretos de la magia?

—¡Oh, sabio hijo de Abu Ajib! —exclamó Aben-Habuz, frenético de ansiedad—, ¡tú eres un gran viajero que ha visto y estudiado cosas maravillosas! Hazme un palacio como ese y pídeme lo que quieras, aunque sea la mitad de mi reino.

—¡Bah! —replicó el astrólogo—; ya sabes que soy un viejo filósofo que me contento con poca cosa. La única recompensa que te pido es que me regales la primera bestia, con su correspondiente carga, que entre por el mágico pórtico del palacio.

El monarca aceptó jubiloso tan modesta condición y el astrólogo comenzó su obra. En la cumbre de la colina, y por cima de su cueva subterránea, hizo construir un gran atrio o barbacana, en el centro de una torre inexpugnable.

Un vestíbulo o porche exterior daba cabida al atrio, guardado con macizas puertas. Sobre la clave del portal esculpió el astrólogo una gran llave; y en la otra clave del arco exterior del vestíbulo, más alto que el del portal, grabó una gigantesca mano. Estos signos eran poderosos talismanes, ante los cuales pronunció ciertas palabras en una lengua desconocida.

Concluida la obra, se encerró por dos días en su salón astrológico, ocupándose en secretos encantamientos. Al día siguiente, avanzada la noche, se presentó ante Aben-Habuz, diciéndole:

—Al fin, ¡oh, rey!, he concluido mi obra. En lo alto de la colina está el palacio más delicioso que jamás pudo concebir la mente humana ni desear el corazón del hombre. Toda la montaña se ha convertido en un paraíso de deleitables jardines, frescas fuentes y perfumados baños. Está protegido, como el jardín del Irán, por poderosos encantamientos que lo ocultan a los mortales, excepto a aquellos que poseen el secreto de su talismán.

—¡Basta! —exclamó Aben-Habuz entusiasmado—. Mañana al amanecer subiremos a tomar posesión.

Al amanecer del día siguiente, Aben-Habuz se puso en camino, acompañado de algunos fieles servidores, y subió a caballo el estrecho sendero que conducía a lo alto de la colina. A su lado, y en un blanco palafrén, cabalgaba resplandeciente la princesa cristiana, mientras el astrólogo caminaba a pie, pues nunca montaba cabalgadura.

El rey quiso contemplar las torres del palacio y los abovedados terrados de los jardines, pero no veía nada.

—Este es el misterio y la salvaguardia del palacio —le dijo el astrólogo—. Nada se divisa hasta que se pasa el umbral del vestíbulo encantado y se entra dentro de él.

Cuando llegaron a la barbacana, se detuvo el astrólogo y señaló al rey la mágica mano y la llave grabadas sobre el portal y sobre el arco.

—Estos son —le dijo— los amuletos que guardan la entrada de este paraíso. Hasta que aquella mano se baje y coja la llave no habrá poder mortal ni mágico artificio que pueda causar daño al señor de estas montañas.

Mientras Aben-Habuz estaba absorto de admiración ante lo que veía, el palafrén de la princesa avanzó algunos pasos y penetró en el vestíbulo hasta el mismo centro de la barbacana.

—He aquí —gritó el astrólogo— la recompensa que me prometiste: la primera bestia con su carga que entrase por la puerta mágica.

—¡Hijo de Abu Ajib! —replicó airado el rey—, ¿qué engaño es este? Bien sabes el significado de mi promesa: la primera bestia con su carga que entre en este portal. Toma la mula más resistente de mis caballerizas, cárgala con los objetos preciosos de mi tesoro, y es tuya; pero no intentes llevarte a esa cautiva, delicia de mi corazón.

—¿Para qué quiero las riquezas? —le contestó el astrólogo con menosprecio—. ¿No tengo el *Libro de la Sabiduría* del sabio Salomón, mediante el que puedo disponer de los secretos tesoros de la tierra? La princesa me pertenece por derecho; la palabra real está empeñada y yo reclamo la joven como cosa mía.

—¡Miserable hijo del desierto! Tú serás sabio en todas las artes, pero es menester que me reconozcas como tu señor, y no pretendas jugar con tu rey.

—¡Mi señor!... ¡Mi señor!... —añadió sarcásticamente el astrólogo—. ¡El monarca de un montecillo de tierra pretende dictar leyes al que posee los secretos de la magia! Pásalo bien, Aben-Habuz. Gobierna tus estadillos y disfruta de ese paraíso de locos, que yo, entre tanto, me reiré a tu costa en mi filosófico retiro.

Y diciendo esto, cogió la brida del palafrén y, golpeando la tierra con su báculo, se hundió con la hermosa princesa en el centro de la barbacana. A continuación, la tierra se cerró, sin quedar huella de la abertura por donde habían desaparecido.

Aben-Habuz, mudo de asombro en un primer momento, volvió en sí y ordenó que cavasen mil trabajadores en aquel sitio. Pero, por más que pretendían cavar, todo era inútil: el seno de la montaña se resistía a sus esfuerzos, y cuando profundizaban un poco, la tierra se cerraba de nuevo.

De ahí en adelante, la cumbre de la montaña permaneció yerma allí dónde habían de estar el palacio y el jardín, y el prometido paraíso quedó oculto para siempre.

Para colmo de desdichas, los enemigos de Aben-Habuz, al saber que este ya no estaba protegido por ninguna influencia mágica, invadieron su territorio. El malaventurado rey pasó así el resto de su vida atormentado por alborotos y disturbios.

En fin: Aben-Habuz murió y lo enterraron hace ya varios siglos. La Alhambra se construyó después sobre esta famosa colina, realizándose, en gran parte, los prodigios del jardín del Irán. La encantada barbacana existe todavía, protegida, sin duda, por la mágica mano y por la llave, formando actualmente la Puerta de la Justicia, que es la entrada principal de la fortaleza. Bajo esta puerta permanece todavía el viejo astrólogo en su salón subterráneo, dormitando en su diván, arrullado por los acordes de la lira de plata de la encantadora princesa.

Los centinelas que hacen la guardia en la puerta suelen oír, en las noches de verano, el eco de una música, e influidos por su poder, se quedan dormidos en sus puestos. Se hace allí tan irresistible el sueño, que aun aquellos que vigilan de día se quedan dormidos en los bancos. Todo lo cual —según cuentan las antiguas leyendas— seguirá ocurriendo, y la princesa continuará cautiva en poder del astrólogo, y este permanecerá en su sueño mágico hasta el día del juicio final, a menos que la mano empuñe la llave y deshaga el encantamiento de la colina.

Peregrino de amor

H ABÍA EN OTROS TIEMPOS

un sultán de Granada que solo tenía un hijo, llamado Ahmed. Los astrólogos hicieron acerca de él felices pronósticos, pues sería un príncipe dichoso y un afortunado soberano; aunque señalaron «que sería muy enamoradizo y correría grandes peligros por esta irresistible pasión; pero que si podía evadir los lazos del amor hasta llegar a la madurez, quedarían conjurados todos los riesgos».

Para hacer frente a los peligros augurados, determinó el rey recluir al príncipe donde no pudiera ver nunca rostro de mujer alguna ni llegar a sus oídos la palabra amor. Con este objeto, hizo construir un bello palacio, el Generalife, en la colina que dominaba la Alhambra, rodeado de deliciosos jardines, pero cercado de elevadas murallas.

En este palacio encerró el monarca al joven príncipe, confiándolo a la vigilancia e instrucción de Bonabben, sabio y severo filósofo que había pasado la mayor parte de su vida en Egipto dedicado al estudio de los jeroglíficos y examinando los sepulcros y las pirámides.

—Emplead todas las precauciones necesarias para que se cumpla mi voluntad —le dijo el rey—; pero tened presente que si mi hijo llega a saber algo del amor, os costará la cabeza.

81

—Esté vuestra majestad tranquilo por lo que toca a su hijo como yo lo estoy por mi cabeza —respondió el nuevo tutor del príncipe.

Creció, pues, el príncipe bajo la vigilancia del filósofo, recluido en el palacio y sus jardines. Escuchaba con paciencia sus largas y profundas lecciones, que le dieron al joven una asombrosa sabiduría, pero creció en una ignorancia completa de lo que era el amor.

Pasó el tiempo y el príncipe se aficionó a pasear por los jardines y a meditar al lado de las fuentes, cogiendo gusto por la música y por la poesía, tan cercanas al amor. No es de extrañar, pues, que el filósofo Bonabben se alarmara y tratase de contrarrestar estas aficiones explicándole un severo curso de álgebra, ciencia que no parecía gustar al príncipe.

—¡No la puedo soportar!

Desde entonces vigiló con ansiedad a su pupilo, y veía que la innata ternura de su naturaleza estaba desarrollándose. Vagaba Ahmed por los jardines del Generalife con cierta exaltación de sentimientos, cuya causa él desconocía. Unas veces se sentaba y se abismaba en deliciosos ensueños; otras pulsaba su laúd, arrancándole las más sentimentales melodías, y después lo arrojaba con despecho y comenzaba a suspirar y a prorrumpir en extrañas exclamaciones.

Bonabben se alarmó ante el estado de excitación de su pupilo. Por ello, se apresuró a apartarlo de los encantos del jardín y lo encerró en la torre más alta del Generalife.

Bonabben, para que el príncipe no se aburriera, le inició en el lenguaje de los pájaros. Los ojos del joven se animaron y estudió esta ciencia con tal avidez que muy pronto se hizo tan docto como su maestro.

Gracias a esto, Ahmed se hizo amigo de un búho, que mostraba altas pretensiones de sabio. Su principal afición era la metafísica, encontrando el príncipe insoportables sus disquisiciones.

Tras conversar con un murciélago que no tenía más que conocimientos a medias de todas las cosas, se encontró con una golondrina muy habladora, pero muy nerviosa, y que raras veces permanecía quieta el tiempo suficiente para trabar conversación.

Pasó el invierno y volvió la primavera con sus galas y su verdor, y con ella el tiempo feliz en que llegaron los pájaros para hacer sus nidos. De repente empezó a oírse en los bosques y jardines del Generalife una dulce melodía. Por todas partes se oía el mismo tema universal, *¡amor!, ¡amor!, ¡amor!*, cantado y contestado de mil poéticas maneras. Escuchaba el príncipe silencioso y perplejo, y decía pensativo: «¿Qué será ese amor del que yo no sé una palabra?».

Hallándose de tal suerte, acertó a entrar su guardián en la torre. El príncipe le salió al encuentro con ansiedad y le dijo:

—¡Oh, Bonabben! Vos me habéis enseñado la mayor parte de la sabiduría de la tierra, pero hay una cosa acerca de la cual estoy en completa ignorancia y quisiera que me la explicaseis. Decidme, pues, profundísimo sabio: ¿qué es eso que llaman el amor?

Bonabben tembló y se puso lívido.

—¿Qué cosa ha podido sugeriros semejante pregunta, mi querido príncipe? ¿Dónde habéis aprendido esa vana palabra?

El príncipe le condujo a la ventana de la torre.

—Escuchad, maestro —le dijo.

El sabio se volvió todo oídos. De los árboles salía un himno melodioso que cantaba: ¡amor!, ¡amor!, ¡amor!

—¡Noble príncipe, cerrad vuestros oídos a esos cantos seductores! Sabed que ese amor es la causa de la mitad de los males que afligen a la desdichada humanidad. ¡Alá os conserve, príncipe querido, en completa ignorancia de esa pasión que se llama amor!

«Miente —se decía a sí mismo el príncipe al escuchar los armoniosos gorjeos de los pajarillos—, no hay tristeza en estos trinos, sino que, por el contrario, todo es ternura y regocijo. Si el amor es la causa de tantas calamidades, ¿por qué estos pájaros no están abatidos en la soledad?». Pero guardó silencio prudentemente.

Cierto día, Ahmed se hallaba recostado en su lecho cuando he aquí que oyó un revoloteo en el aire. Era un hermoso palomo que, perseguido por un gavilán, entró por la ventana y cayó rendido de cansancio al suelo, esquivando milagrosamente a su perseguidor.

Levantó el príncipe al ave fatigada, la acarició y la metió en una jaula de oro, ofreciéndole con sus propias manos trigo blanco y agua cristalina. El pobre palomo, sin embargo, no quería comer, y permaneció triste, exhalando lastimeros quejidos.

—¿Qué te pasa? —le preguntó Ahmed—, ¿no eres feliz?

—¡Ay, no! —replicó el palomo—. ¡Me veo separado del mi amada compañera y en la hermosa primavera, época del amor!

—¡Del amor!... —replicó Ahmed—. Ave querida, ¿podrás explicarme tú lo que es el amor?

—¡Perfectamente, príncipe! El amor es un encanto que atrae mutuamente a dos seres y los une por irresistibles simpatías, haciéndolos felices cuando están juntos, pero desgraciados cuando están separados.

Mira a tu alrededor y verás cómo en esta deliciosa estación toda la naturaleza respira amor. ¿Has malgastado los preciosos días de tu juventud sin saber nada de lo que es el amor?

—Ya empiezo a comprender —dijo el príncipe suspirando—; yo he experimentado esa inquietud, pero sin saber la causa. Pero... si el amor es tal delicia y su interrupción tal amargura, ¡no permita Alá que yo perturbe el regocijo de los que se aman!

Y, abriendo la jaula, sacó al palomo y lo puso en la ventana diciéndole:

—¡Vuela, ave enamorada, y regocíjate con tu amada!

El palomo batió sus alas en señal de alegría, describió un círculo en el aire y voló hacia las floridas alamedas del Darro.

El príncipe quedó abismado en amargas reflexiones. Cuando vio al filósofo Bonabben, sus ojos echaban chispas.

—¿Por qué me habéis tenido en esta vil ignorancia? —le dijo—. ¿Por qué me habéis ocultado el gran misterio y principio de la vida?

El sabio Bonabben no tuvo más remedio que revelarle las predicciones de los astrólogos y las precauciones que se habían tomado en su educación para conjurar la desgracia pronosticada.

—Y ahora —añadió—, mi vida está en vuestras manos. En cuanto descubra vuestro severo padre que habéis aprendido al fin lo que es el amor, me cortará la cabeza.

El príncipe consintió en sepultar en el fondo de su pecho lo que había aprendido, antes de dar lugar a que peligrase la vida del filósofo.

Acaso como premio por su bondad, Ahmed, no muchos días después, vio por los aires al palomo al que había dado libertad, que se posó confiadamente en su hombro.

—Ave dichosa —le saludó el príncipe—, ¿dónde has estado desde que nos vimos la última vez?

—En una tierra muy lejana, querido príncipe, de la cual te traigo felices nuevas. En mi vuelo divisé un jardín maravilloso, me posé sobre un árbol y vi a una hermosísima princesa en la flor de su juventud y de su belleza. Oculta en aquel retiro pasaba los días de su vida, pues el jardín se hallaba rodeado de elevadas murallas y no se permitía la entrada a ser humano alguno. Y entonces me dije: «He aquí el ser creado por el cielo para inspirar amor a mi príncipe».

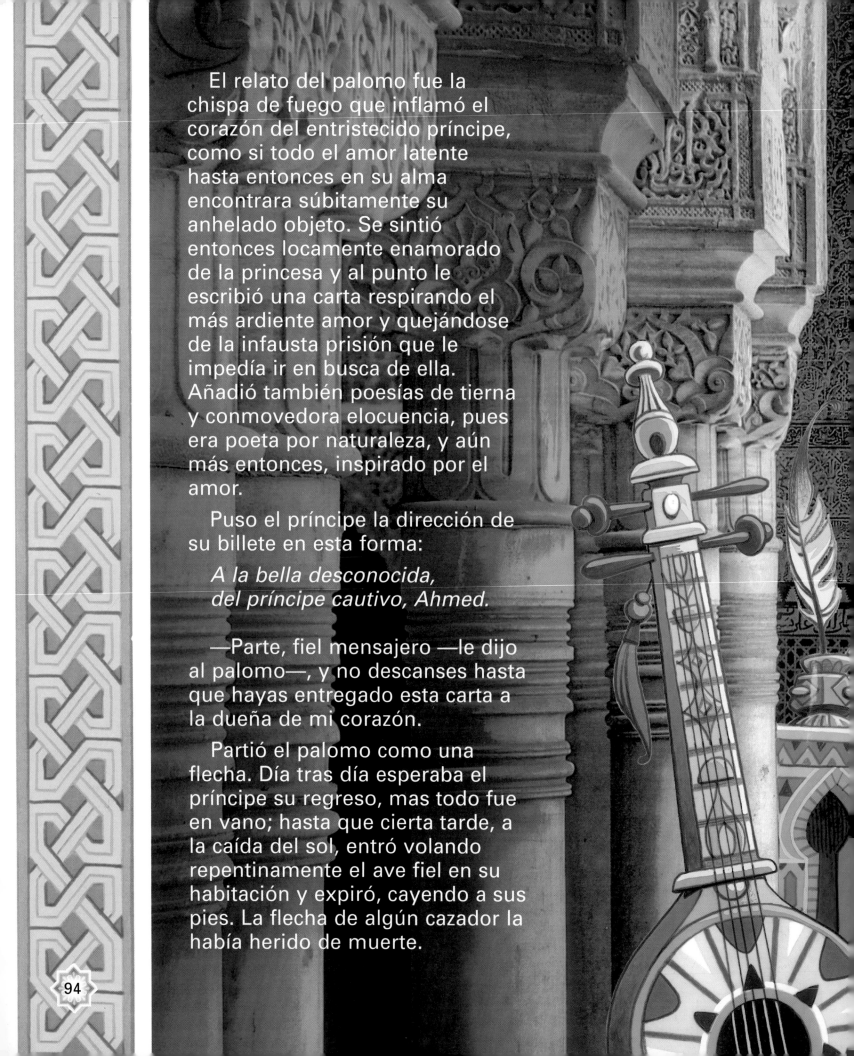

El relato del palomo fue la chispa de fuego que inflamó el corazón del entristecido príncipe, como si todo el amor latente hasta entonces en su alma encontrara súbitamente su anhelado objeto. Se sintió entonces locamente enamorado de la princesa y al punto le escribió una carta respirando el más ardiente amor y quejándose de la infausta prisión que le impedía ir en busca de ella. Añadió también poesías de tierna y conmovedora elocuencia, pues era poeta por naturaleza, y aún más entonces, inspirado por el amor.

Puso el príncipe la dirección de su billete en esta forma:

A la bella desconocida,
del príncipe cautivo, Ahmed.

—Parte, fiel mensajero —le dijo al palomo—, y no descanses hasta que hayas entregado esta carta a la dueña de mi corazón.

Partió el palomo como una flecha. Día tras día esperaba el príncipe su regreso, mas todo fue en vano; hasta que cierta tarde, a la caída del sol, entró volando repentinamente el ave fiel en su habitación y expiró, cayendo a sus pies. La flecha de algún cazador la había herido de muerte.

Se inclinó el príncipe, ahogado de pena, cuando notó que el palomo tenía una cadena de perlas alrededor de su cuello, y pendiente de ella una miniatura esmaltada que representaba el retrato de una hermosísima princesa en la flor de su juventud.

El príncipe miraba absorto el precioso retrato, hasta que sus ojos se arrasaron en lágrimas. Por fin, Ahmed se decidió a tomar una resolución. «¡Huiré de este palacio», se dijo, «que me sirve de prisión y, peregrino de amor, buscaré a esta princesa por todo el mundo».

Pero ¿cómo guiarse para huir entre las tinieblas, no conociendo el país? Ahmed se acordó entonces del búho, que, como salía a volar de noche, debía conocer todos los vericuetos y pasos nocturnos. Fue, pues, a buscarle.

—No os ofendáis, dignísimo búho —le dijo el príncipe—; dejad por un tiempo de meditar en las estrellas y ayudadme en mi fuga. Algún día seré sultán y entonces os colocaré en un puesto de honor.

El búho, aunque filósofo abstraído de las necesidades ordinarias de la vida, no estaba libre de ambición, por lo que consintió, al fin, en huir con el príncipe, sirviéndole de mentor y guía en su peregrinación.

El príncipe se escapó aquella misma noche del Generalife guiado por el búho. Este le recomendó que marchasen a Córdoba y buscasen la palmera del gran Abderramán, en el patio de la mezquita principal, donde encontrarían a un gran viajero que les podría orientar.

Cuando llegaron a Córdoba, encontraron al personaje que buscaban, un papagayo famoso que había visitado muchas cortes extranjeras.

Habló el príncipe:

—Decidme, incomparable papagayo, ¿habéis tropezado alguna vez, en el curso de vuestros viajes, con el original de este retrato?

El papagayo tomó la miniatura con una de sus garras, movió la cabeza y la examinó atentamente, exclamando por fin:

—Claro que sí, esta es la sin par princesa Aldegunda.

—¡La princesa Aldegunda! —repitió en príncipe—. ¿Y dónde la podré encontrar?

—Debéis ir a Toledo —dijo el papagayo—. Es la única hija del rey cristiano de Toledo y está oculta al mundo hasta que cumpla diecisiete años, por ciertas predicciones de los astrólogos.

—Eso me suena..., es el destino, sin duda. Dios quiere unirnos. Oíd dos palabras, mi querido papagayo: yo soy el heredero de un reino y un día llegará en que me siente en un trono. Ayudadme a llegar a esta princesa y os prometo un cargo de asesor en mi reino.

—¡Con todo mi corazón! —respondió el papagayo—. Pero deseo, si es posible, que sea mejor una renta, pues nosotros los sabios tenemos horror al trabajo...

Salieron de Córdoba y los tres viajeros atravesaron los áridos pasos de Sierra Morena y los calurosos llanos de la Mancha y de Castilla. Al fin, divisaron una ciudad fortificada con murallas construidas en un pedregoso promontorio, cuyos pies bañaban las corrientes del Tajo. Era Toledo.

—Contemplad ¡oh, príncipe! —dijo el papagayo— la morada de la princesa que buscáis.

Dirigió su vista el príncipe hacia donde le indicaba el papagayo y vio un suntuoso palacio edificado a orillas del río.

Se quedó mirándolo, mientras su corazón latía emocionado. Observando con más detenimiento, percibió que las murallas del jardín eran de gran altura, lo que hacía imposible la escalada, y que varias patrullas de hombres armados andaban rondando por fuera.

Se volvió el príncipe al papagayo y le dijo:

—¡Oh, vos, ya que sabéis hablar como los hombres, dirigíos a aquel jardín, buscad a la dueña de mi alma y decidle que el príncipe Ahmed, peregrino de amor, guiado por las estrellas, ha llegado!

Orgulloso el papagayo con su embajada, voló al jardín y se posó en el balcón de un pabelloncito que daba al río. Desde allí, descubrió a la princesa reclinada en un cojín y fijos los ojos en un papel, deslizándose dulcemente lágrima tras lágrima por sus mejillas.

El papagayo, con aire muy galán, le dijo:

—Enjugad vuestras lágrimas, ¡oh, vos, la más hermosa de todas las princesas!, pues vengo a alegrar vuestro corazón. Os anuncio que Ahmed, príncipe de Granada, ha llegado en vuestra búsqueda.

Al oír estas palabras, brillaron los ojos de la princesa más que los diamantes de su corona.

—¡Oh, papagayo! Felices son las nuevas que me traes, pues ya me encontraba abatida y enferma de muerte. Vuela a él y dile que tengo grabadas en mi corazón las apasionadas frases de su carta, y que sus poesías han servido de sustento a mi alma. Dile también que se disponga a demostrar su amor con la fuerza de las armas, pues mañana, que cumplo diecisiete años, se celebrará un gran torneo en el que lucharán varios príncipes, siendo mi mano el premio del vencedor.

El papagayo remontó el vuelo y, cruzando por las alamedas, llegó hacia donde el príncipe esperaba su regreso. La alegría de Ahmed llenó su alma. Sin embargo, se quedó pálido al oír lo del torneo, y no sin razón, pues nunca había combatido.

Entonces el búho rompió su silencio.

—¡Dios es grande! —exclamó—. ¡En sus manos están todos los secretos y él solo rige los destinos de todos los hombres! Sabed, ¡oh, Ahmed!, que en las vecinas montañas existe una gruta dentro de la cual hay una mesa de hierro y sobre esta una armadura mágica, y hay también allí mismo un corcel encantado. Pertenecieron a cierto nigromante moro que se refugió en esta caverna cuando Toledo cayó en poder de los cristianos, y el tal musulmán murió allí dejando su caballo y sus armas bajo un misterioso encantamiento. Solo podrán hacer uso de ellos los seguidores del Profeta, y solo desde la salida del sol hasta el mediodía. El que los use en este intervalo vencerá indefectiblemente a todos sus rivales.

—¡Basta! —exclamó el príncipe—. Busquemos esa gruta ya mismo.

Guiado por el búho, encontró el príncipe la caverna en los áridos picos que se elevan junto a Toledo. Nadie, a no ser el ojo perspicaz de un búho, hubiera podido dar con la entrada.

En el interior de la cueva, se alzaba en efecto una mesa de hierro, con una armadura mágica y una lanza sobre ella. Y muy cerca estaba el corcel árabe enjaezado como para entrar en batalla.

105

Al fin amaneció el día del torneo. Las más bellas mujeres del reino, plebeyas o cortesanas, se habían reunido para el acontecimiento. Un murmullo general de sorpresa se levantó cuando hizo su aparición la princesa Aldegunda, cuya belleza eclipsó la de las restantes damas y enardeció aún más para el combate a los príncipes que aspiraban a su mano.

La princesa, no obstante, presentaba un aspecto melancólico; el color de sus mejillas mudaba a cada momento y sus ojos se dirigían con incesante y ansiosa expresión al engalanado grupo de los caballeros. Ya los clarines iban a dar señal del encuentro, cuando el heraldo anunció la llegada de otro caballero; era Ahmed.

La gallarda figura del príncipe sorprendió a todo el mundo, y más aún cuando le anunciaron como «el peregrino de amor».

Los príncipes competidores lo rodearon con aire arrogante y amenazador, y hasta uno de ellos pretendió burlarse de su tez morena y su sobrenombre de «peregrino de amor».

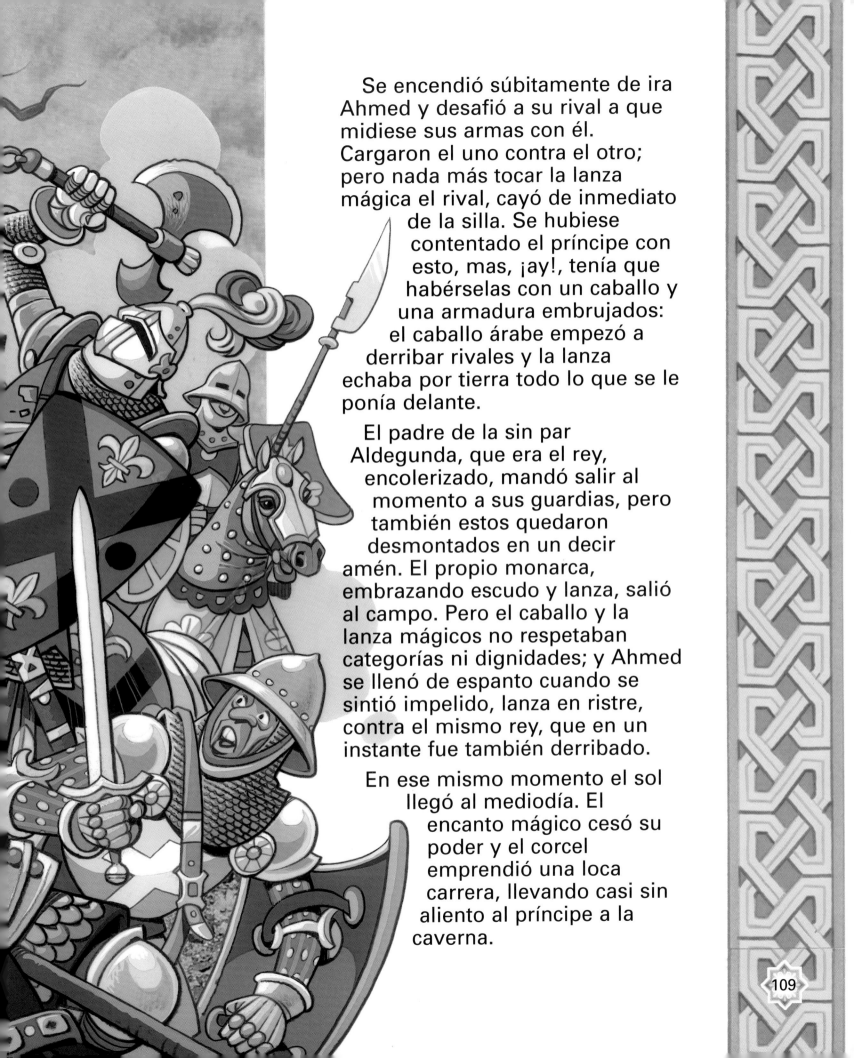

Se encendió súbitamente de ira Ahmed y desafió a su rival a que midiese sus armas con él. Cargaron el uno contra el otro; pero nada más tocar la lanza mágica el rival, cayó de inmediato de la silla. Se hubiese contentado el príncipe con esto, mas, ¡ay!, tenía que habérselas con un caballo y una armadura embrujados: el caballo árabe empezó a derribar rivales y la lanza echaba por tierra todo lo que se le ponía delante.

El padre de la sin par Aldegunda, que era el rey, encolerizado, mandó salir al momento a sus guardias, pero también estos quedaron desmontados en un decir amén. El propio monarca, embrazando escudo y lanza, salió al campo. Pero el caballo y la lanza mágicos no respetaban categorías ni dignidades; y Ahmed se llenó de espanto cuando se sintió impelido, lanza en ristre, contra el mismo rey, que en un instante fue también derribado.

En ese mismo momento el sol llegó al mediodía. El encanto mágico cesó su poder y el corcel emprendió una loca carrera, llevando casi sin aliento al príncipe a la caverna.

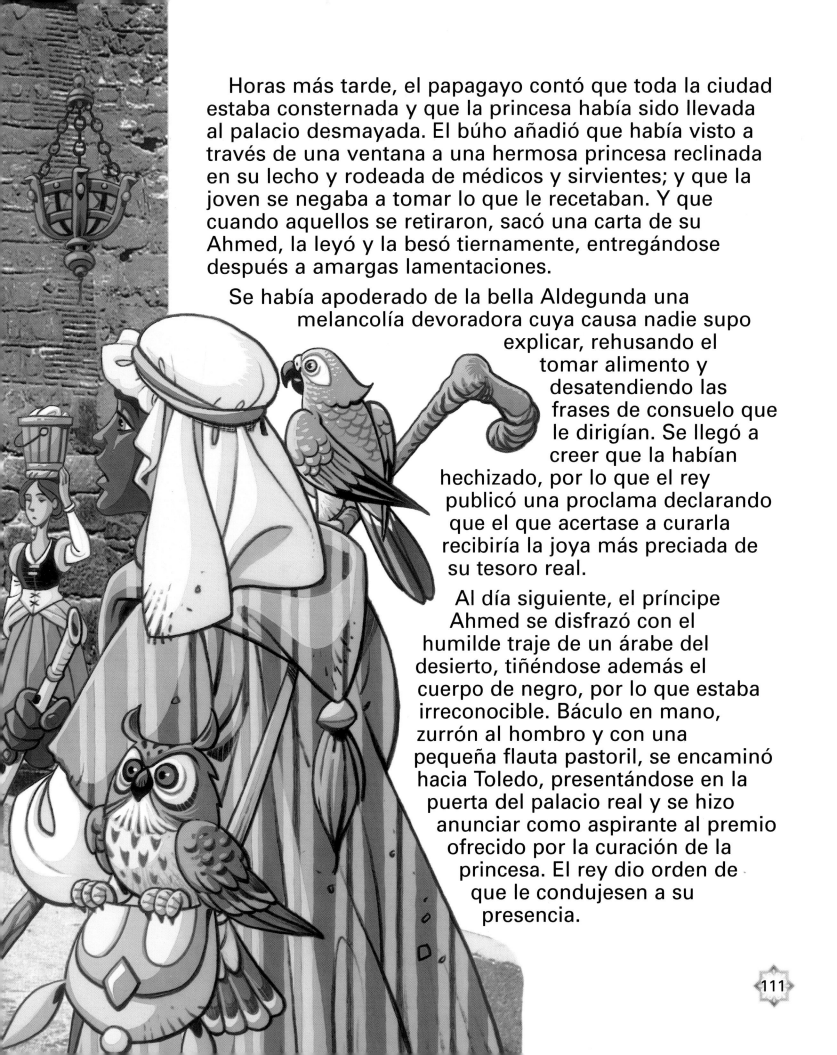

Horas más tarde, el papagayo contó que toda la ciudad estaba consternada y que la princesa había sido llevada al palacio desmayada. El búho añadió que había visto a través de una ventana a una hermosa princesa reclinada en su lecho y rodeada de médicos y sirvientes; y que la joven se negaba a tomar lo que le recetaban. Y que cuando aquellos se retiraron, sacó una carta de su Ahmed, la leyó y la besó tiernamente, entregándose después a amargas lamentaciones.

Se había apoderado de la bella Aldegunda una melancolía devoradora cuya causa nadie supo explicar, rehusando el tomar alimento y desatendiendo las frases de consuelo que le dirigían. Se llegó a creer que la habían hechizado, por lo que el rey publicó una proclama declarando que el que acertase a curarla recibiría la joya más preciada de su tesoro real.

Al día siguiente, el príncipe Ahmed se disfrazó con el humilde traje de un árabe del desierto, tiñéndose además el cuerpo de negro, por lo que estaba irreconocible. Báculo en mano, zurrón al hombro y con una pequeña flauta pastoril, se encaminó hacia Toledo, presentándose en la puerta del palacio real y se hizo anunciar como aspirante al premio ofrecido por la curación de la princesa. El rey dio orden de que le condujesen a su presencia.

111

—¡Poderosísimo rey! —dijo Ahmed—. Tenéis ante vuestra presencia a un beduino que ha pasado la mayor parte de su vida en las soledades del desierto, guarida de espíritus malignos que nos atormentaban a los pobres pastores. Contra estos maleficios descubrimos un antídoto, la música, pues ciertas melodías que tocamos y cantamos los ahuyentan del todo.

El rey, esperanzado, le condujo a la elevada torre en donde estaba la alcoba de su hija. Las ventanas estaban entornadas, hallándose la princesa postrada en cama.

Ahmed tocó primero en su flauta pastoril varios aires árabes. La princesa permaneció insensible, hasta que el príncipe dejó a un lado la flauta y cantó los amorosos versos de la carta en la que le había declarado su pasión.

La princesa reconoció la letra y una súbita alegría se apoderó de su alma. Levantó la cabeza y escuchó, al mismo tiempo que las lágrimas afluían a sus ojos y se deslizaban por sus mejillas, palpitando su seno dulcemente emocionado.

El rey, que adivinó los deseos de su hija, ordenó que condujesen a Ahmed a su presencia.

Los amantes obraron condiscreción, limitándose
a intercambiar furtivas miradas, aunque aquellas
expresaban más que todas las conversaciones.

—¡Maravilloso joven! —exclamó el rey—.
Tú serás en adelante el primer médico de mi
corte. Por lo pronto, recibe tu premio, la joya
más preciada de mi tesoro.

—¡Oh, rey! —replicó Ahmed—. Nada me importan el oro ni las
piedras preciosas. Pero creo que posees una antigualla que sí me
hace cierta ilusión: un pequeño cofre de sándalo que contiene una
alfombra de seda. Dame, pues, ese cofre, y con eso me contento.

Llevaron el cofre de sándalo y sacaron la alfombra, que era de seda verde, cubierta de caracteres hebreos y extraños signos.

—Esta alfombra —dijo el príncipe— cubrió en otros tiempos el trono del sabio Salomón, siendo digna, por tanto, de estar colocada a los pies de la hermosura.

Y diciendo esto, la extendió debajo de una otomana que habían llevado para la princesa. Después se sentó él a sus pies.

—¿Quién —exclamó— podrá oponerse a lo que hay escrito en el libro del destino? Sabed, ¡oh, rey!, que vuestra hija y yo nos hemos amado en secreto durante mucho tiempo. ¡Ved, pues, en mí, al peregrino de amor!

Y al momento la alfombra se elevó por los aires, llevándose al príncipe y a la princesa.

El rey, indignado, reunió un poderoso ejército y llegó hasta Granada en persecución de los fugitivos, enviando un heraldo a pedir la restitución de su hija.

El sultán de Granada en persona le salió al encuentro con toda su corte y reconocieron en él al cantor árabe, pues Ahmed había subido al trono a la muerte de su padre, habiendo convertido en su sultana a la hermosa Aldegunda.

El rey cristiano se aplacó fácilmente cuando supo que su hija continuaba fiel a sus creencias. Y así, en vez de sangrientas batallas, hubo muchas fiestas y regocijos, y, concluidos estos, se volvió el rey muy contento a Toledo.

Y los jóvenes esposos continuaron reinando tan feliz como acertadamente en la Alhambra.

El legado del moro

H AY EN EL INTERIOR DE LA **ALHAMBRA** una explanada llamada plaza de los Aljibes. Toma su nombre de los grandes depósitos de agua subterráneos que existen en ella desde la época de los moros.

Hace ya mucho tiempo, entre los aguadores que concurrían al pozo había uno robusto, ancho de espaldas, corto y zambo de piernas, llamado Pedro Gil, conocido como Perejil, natural de tierras gallegas.

Perejil era tenido en toda Granada por el más cortés, jovial y feliz de los mortales, aunque la verdad era que el pobre sufría mil penas y quebrantos. Tenía una extensa familia, una numerosa prole hambrienta a la que era preciso dar sustento. Su esposa y compañera le servía de todo, menos de alivio. Mujer desidiosa y abandonada, se gastaba en fruslerías el jornal que con tanto trabajo y afán ganaba su marido. Pero, sobre todo, era una charlatana incansable, que abandonaba su casa, sus hijos y sus quehaceres domésticos por irse, en chanclas, de visiteos a casa de sus habladoras vecinas.

Llegó una noche de verano en la que, por ser avanzada la hora, ya todos los aguadores descansaban.

El día había sido extraordinariamente caluroso y aún había por las calles consumidores de agua, por lo que Perejil, como considerado y amantísimo padre de sus hijos, se dijo pensando en sus retoños: «Daré un viaje más a los aljibes para ganarles el puchero del domingo a los chiquillos». Y así diciendo, ascendió con paso firme la pendiente de la Alhambra.

Cuando llegó al pozo lo encontró enteramente desierto, excepción hecha de un solitario extranjero vestido al estilo morisco al que se veía sentado en uno de los bancos de piedra iluminado por la luz de la luna. Perejil se detuvo de pronto y lo miró con extrañeza mezclada con terror; pero el moro le hizo señas para que se le acercase.

—Estoy muy débil y enfermo —le dijo—; ayúdame a volver a la ciudad y te daré el doble de lo que puedas ganar con el agua.

El sensible corazón del pobre aguador se conmovió con la súplica del extranjero y le respondió:

—No quiera Dios que yo reciba recompensa alguna por hacer un acto obligado de humanidad.

Ayudó, por tanto, al moro a montar en su burro y partió con él a paso lento para Granada. Cuando llegaron a la ciudad, le preguntó el aguador adónde había que llevarlo.

—¡Ay! —dijo el moro con voz apagada—. No tengo casa ni hogar, pues soy extranjero en este país. Permíteme que pase esta noche en tu casa y te recompensaré espléndidamente.

De esta manera, el bueno de Perejil se vio, cuando menos lo esperaba, con el compromiso de un huésped; pero el hombre era demasiado compasivo para negar una noche de hospitalidad a un pobre anciano que se hallaba en una situación tan deplorable. Así que condujo al árabe a su morada.

—¿Quién es el infiel ese que traes a casa a estas horas, para atraernos la mirada de la Inquisición? —dijo gritando la mujer.

—¡No te incomodes, mujer! —le respondió el gallego—. Es un pobre extranjero enfermo, sin amigos y sin hogar. ¿Habrás tú de querer arrojarle para que perezca en medio de esas calles?

El pobre aguador ayudó, por tanto, al maltrecho musulmán a apearse del burro y le extendió una estera y una zalea en el sitio más fresco de la casa, única cama que podía ofrecerle en su pobreza.

Al poco tiempo se vio acometido el moro de convulsiones que desafiaban todo el arte médico del sencillo aguador. En un intervalo de sus accesos llamó a Perejil a su lado y en voz baja le dijo:

—Sé que mi fin está muy próximo. Si muero, te dejo esta caja en recompensa por tu caridad.

Y, así diciendo, entreabrió su albornoz y dejó ver una cajita de madera de sándalo pendiente de su cuerpo.

—Dios haga, amigo mío —replicó el gallego—, que viváis muchos años para disfrutar de vuestro tesoro o lo que quiera que sea.

El moro movió la cabeza, puso su mano sobre la caja y quiso decir algo acerca de esta, pero sus convulsiones se repitieron con mayor violencia, y al poco tiempo expiró.

La mujer del aguador se puso como loca.

—Esto nos sucede —le decía— por tus bobadas, por meterte siempre donde no puedes salir para servir a los demás. ¿Qué va a ser de nosotros cuando encuentren este cadáver en nuestra casa?

El pobre Perejil se hallaba también atribulado, hasta que al fin le iluminó una idea salvadora.

—Todavía no es de día —dijo—; puedo sacar el cuerpo del muerto fuera de la ciudad y sepultarlo bajo la arena en la ribera del Genil. Nadie vio entrar al moro en nuestra casa y nadie sabrá de su muerte.

Dicho y hecho. Le ayudó su mujer y envolvieron el cadáver del anciano en la estera donde había expirado; lo pusieron después atravesado en el burro, y salió él en dirección a la ribera del río.

Pero quiso la mala suerte que viviese enfrente del aguador un barbero llamado Pedrillo Pedrugo, el mayor charlatán, averiguador de vidas ajenas y el hombre más perverso del mundo.

Este entrometido rapabarbas oyó llegar a Perejil a una hora sospechosa de la noche y luego hirieron sus oídos las exclamaciones de la mujer y de los hijos del aguador. Se asomó inmediatamente por un ventanillo que le servía de observatorio y vio cómo su vecino ayudaba a entrar en su casa a un hombre vestido de moro. Era esto tan extraño y peregrino que Pedrillo Pedrugo no pudo dormir en toda la noche, asomándose al ventanillo cada cinco minutos y observando la luz que brillaba por las rendijas de la puerta de su vecino, hasta que le vio salir, antes de romper el día, con su pollino muy cargado.

Pedrillo se vistió en un abrir y cerrar de ojos y siguió al aguador a larga distancia, hasta que le vio hacer un hoyo en la arena de la ribera del Genil y enterrar después un bulto que parecía un cadáver.

El barbero, tras regresar deprisa a su casa, tomó una bacía debajo del brazo y se dirigió a casa del alcalde, que era su cliente cotidiano.

El alcalde se acababa de levantar en aquel momento y Pedrillo Pedrugo le hizo sentar en una silla, le puso el paño para afeitar y la bacía con agua caliente para el cuello, mientras le decía:

—¡Qué cosas pasan tan grandes! ¡Qué cosas! ¡Un robo, un asesinato y un entierro en una misma noche!

—¿Eh? ¡Cómo! ¿Qué estás diciendo? —exclamó el alcalde.

—Digo —continuó el barbero— que Perejil el gallego ha robado y asesinado a un moro y le ha enterrado esta misma noche.

—¿Y cómo sabes tú todo eso? —le preguntó el alcalde.

Y el barbero contó todo cuanto había visto.

El caso es que el tal alcalde era el más déspota e insaciable avariento que se conocía en Granada. Presumió que el caso en cuestión era un robo con asesinato y que debía ser de bastante consideración lo robado... Y así discurriendo, mandó llamar al alguacil de su mayor confianza, un sabueso con vara en la mano, y tal fue la diligencia de este que al punto estaba pisando los talones al pobre Perejil. Le cogió y le llevó en compañía del borrico ante la presencia del magistrado.

Dirigió el alcalde una mirada terrible al pobre gallego y le dijo con voz amenazadora, que le hizo caer, trémulo, de rodillas:

—¡Oye, infame! No intentes negar tu delito, pues lo sé todo. La horca es el castigo que te espera por el crimen que has cometido; pero yo, que soy compasivo, estoy dispuesto a escuchar lo que sea razonable. El hombre que ha sido asesinado en tu casa era moro, un infiel enemigo de nuestra fe, y sin duda tú le mataste en un rapto de celo religioso; por tanto, quiero ser indulgente contigo: entrégame lo que le has robado y le echaremos tierra al asunto.

El desdichado aguador contó toda la historia del moribundo moro con la justificadora sencillez de la verdad, mas todo fue en vano.

—¿Pretenderás seguir sosteniendo —le dijo el improvisado juez— que el tal moro no tenía ni dinero ni alhajas, cuando ellas fueron las que tentaron tu codicia?

—Es tan cierto como que soy inocente, señor —replicó el aguador—, como que no tenía más que una cajita de sándalo, que me legó en premio de mi servicio.

—¡Una caja de sándalo!, ¡una caja de sándalo! —exclamaba el alcalde, y le brillaban las pupilas ante la esperanza de que fuera una joya preciosa—. ¿Dónde está esa caja? ¿Dónde la has escondido?

—Con perdón de usía, está en una de las aguaderas de mi burro y enteramente al servicio de su señoría —contestó Perejil.

No bien acabó de pronunciar estas palabras cuando el astuto alguacil salió a escape y volvió en un santiamén con la misteriosa caja de sándalo. La abrió el alcalde y todos se aproximaron para ver los tesoros que esperaban que contuviese... Pero, ¡oh, desencanto!, no había en su interior más que un rollo de pergamino escrito con caracteres arábigos.

131

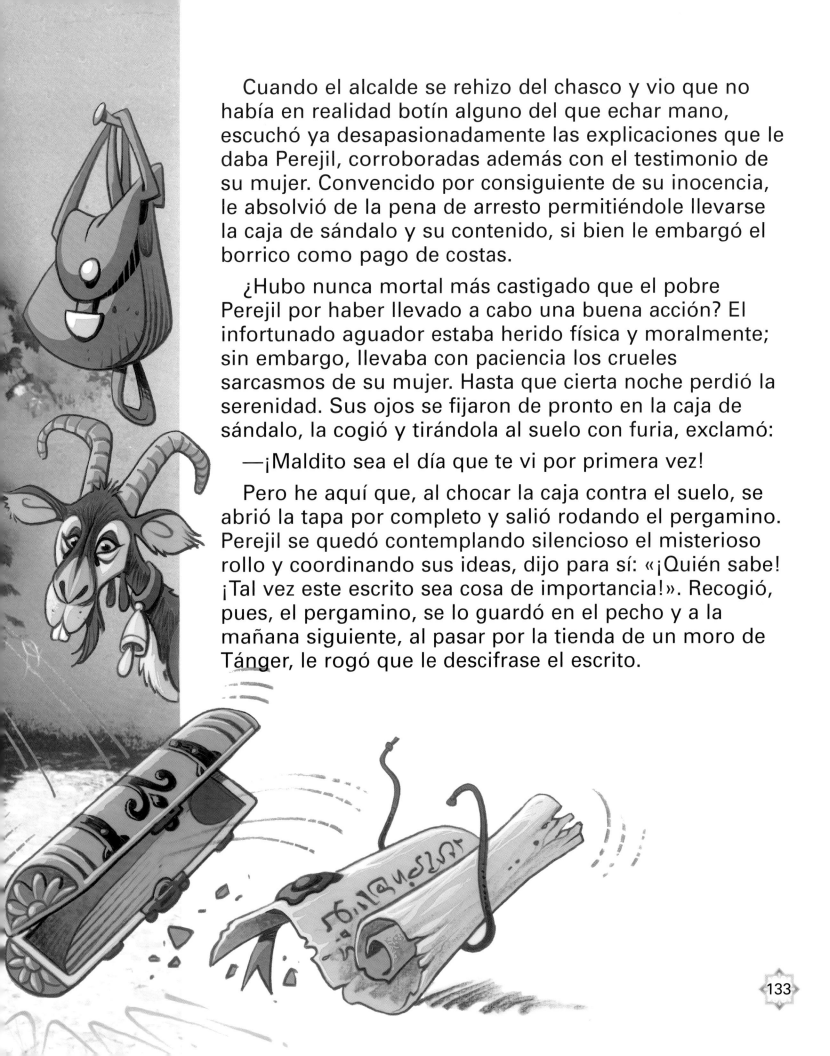

Cuando el alcalde se rehizo del chasco y vio que no había en realidad botín alguno del que echar mano, escuchó ya desapasionadamente las explicaciones que le daba Perejil, corroboradas además con el testimonio de su mujer. Convencido por consiguiente de su inocencia, le absolvió de la pena de arresto permitiéndole llevarse la caja de sándalo y su contenido, si bien le embargó el borrico como pago de costas.

¿Hubo nunca mortal más castigado que el pobre Perejil por haber llevado a cabo una buena acción? El infortunado aguador estaba herido física y moralmente; sin embargo, llevaba con paciencia los crueles sarcasmos de su mujer. Hasta que cierta noche perdió la serenidad. Sus ojos se fijaron de pronto en la caja de sándalo, la cogió y tirándola al suelo con furia, exclamó:

—¡Maldito sea el día que te vi por primera vez!

Pero he aquí que, al chocar la caja contra el suelo, se abrió la tapa por completo y salió rodando el pergamino. Perejil se quedó contemplando silencioso el misterioso rollo y coordinando sus ideas, dijo para sí: «¡Quién sabe! ¡Tal vez este escrito sea cosa de importancia!». Recogió, pues, el pergamino, se lo guardó en el pecho y a la mañana siguiente, al pasar por la tienda de un moro de Tánger, le rogó que le descifrase el escrito.

133

Leyó el moro con atención el pergamino y le dijo:

—Este manuscrito es una fórmula de desencantamiento para recobrar un tesoro escondido que se halla bajo el influjo de un hechizo.

—¡Bah, bah! —exclamó Perejil—. ¿Qué me importa a mí eso? Yo no soy encantador, ni entiendo un palabra de tesoros ocultos.

Y, diciendo esto, se echó la garrafa a la espalda, dejó el rollo en manos del moro y se fue a recorrer sus calles de costumbre.

Mas aquella noche se fue a sentar un rato, al oscurecer, junto a los aljibes de la Alhambra, y encontró allí un grupo de hombres conversando sobre las riquezas encantadas y sepultadas por los moros en varios sitios de la Alhambra, y todos a una afirmaban creer que había grandes tesoros escondidos en la Torre de los Siete Suelos.

Esto produjo una honda impresión en la mente del honrado Perejil. De forma que, a la mañana siguiente, muy temprano, se fue a la tienda del moro y le contó lo que se le había ocurrido.

—Usted sabe el idioma árabe. Supongamos que nos vamos juntos a la torre y probamos el efecto del encantamiento. Si sale mal, nada hemos perdido; pero si sale bien, repartiremos entre los dos el tesoro que descubramos —le dijo el aguador.

—¡De acuerdo! —replicó el moro—. Pero este escrito ha de ser leído a medianoche.

Convinieron entonces los dos en probar la magia aquella misma noche. De forma que, a hora bastante avanzada, subieron la colina de la Alhambra y se aproximaron a aquella imponente y solitaria torre rodeada de árboles.

Merced a la luz de una linterna consiguieron llegar a la entrada de una bóveda situada debajo de la torre. Descendieron llenos de temor y temblando de miedo una escalera cortada en la roca, la cual conducía a un cuarto húmedo y oscuro donde a su vez había otra escalera que conducía a otra bóveda todavía más profunda. Se detuvieron allí un instante para tomar aliento, hasta que oyeron débilmente el toque de las doce en la campanilla de la Torre de la Vela, y a continuación encendieron el cabo de una bujía amarilla.

El moro comenzó a leer deprisa el pergamino. No bien había concluido, cuando se oyó un pavoroso ruido subterráneo: la tierra tembló y se abrió el pavimento, descubriendo una escalera de piedra. Muertos de miedo, descendieron por ella y divisaron a la luz de la linterna otra bóveda abigarrada con inscripciones arábigas en cuyo centro se veía un cofre colosal asegurado por siete barrotes de acero.

Delante del cofre había varios jarrones repletos de oro, plata y piedras preciosas.

En el más grande de ellos metieron los brazos hasta el codo, sacando puñados de hermosas monedas morunas, brazaletes y adornos del mismo metal, con algún que otro collar de perlas orientales que se enredaban entre los dedos.

Se oyó un terrible estruendo. Aterrorizados, cargaron rápidamente parte de las riquezas que había junto al cofre y no pararon hasta que se encontraron fuera de la torre y vieron las estrellas brillar entre el ramaje de los árboles. Se repartieron el botín, decidieron volver más adelante para apurar hasta el fondo los jarrones y luego partieron colina abajo hacia Granada.

Cuando iban por el pie de la colina, el precavido moro se acercó al oído del sencillo aguador para darle un consejo.

—Amigo Perejil —le dijo—, este asunto debe quedar en el mayor secreto. ¡Si se entera el alcalde, estamos perdidos!

—Es verdad —contestó el aguador—, eso será lo más prudente.

—Amigo Perejil —le dijo el moro de nuevo—, no dudo que sabrá guardar un secreto, pero tiene usted mujer...

—Mi mujer no sabrá ni una palabra de todo esto —replicó el aguador con gran decisión.

—Está bien —contestó el moro—. Confío en su discreción y en su promesa.

Cuando llegó a casa, Perejil encontró a su mujer sollozando en un rincón.

—¡Caramba! —le dijo al entrar—. ¡Gracias a Dios que has venido, después de haber estado toda la noche danzando por ahí!

Y exclamaba:

—¡Cuán desgraciada soy! ¿Qué va a ser de mí? ¡Mi casa robada y saqueada por escribanos y alguaciles, y este marido sin pensar en ganar el sustento de su familia y andándose de noche y de día por ahí con esos moros infieles!

El honrado Perejil se conmovió de tal manera con las lamentaciones de su esposa, que no pudo contener las lágrimas. Su corazón estaba reventando como su bolsillo y no podía sujetarlo. Metió pues la mano en él, sacó tres o cuatro hermosas monedas de oro y se las echó a su contristada esposa en la falda. La pobre mujer desencajó los ojos de asombro, no pudiendo comprender de dónde venía aquella lluvia de oro; pero antes de que volviera de su sorpresa, sacó el gallego una cadena de oro y se la presentó, saltando de gozo.

—¡La santísima Virgen nos saque con bien! —dijo la esposa—. ¿Qué has hecho, di, qué has hecho, Perejil? ¡No hay duda, tú has cometido algún robo, algún asesinato!

¿Qué recurso le quedaba al pobre hombre? No tuvo más remedio que tranquilizar a su mujer y desvanecer los fantasmas de su imaginación contándole la historia de su buena suerte. Esto, por supuesto, no lo hizo sin que antes ella prestara la solemnísima promesa de guardar el más absoluto secreto, jurando no decir a nadie ni una palabra.

La mujer de Perejil guardó el secreto con sorprendente puntualidad. Pero si obraba con prudencia fuera de la casa, bien se desquitaba dentro poniéndose al cuello una sarta de ricas perlas orientales, brazaletes moriscos en sus brazos y una diadema de brillantes en la cabeza. Aún más: no pudo resistir el deseo de asomarse a la ventana para saborear el efecto que producirían sus adornos entre los transeúntes.

Para desgracia suya, el entrometido barbero Pedrillo Pedrugo se hallaba en aquel mismo momento sentado sin hacer nada en su tienda, cuando hirió su vigilante ojo el brillo de los diamantes. Se puso al instante en su ventanillo y reconoció a la andrajosa mujer del aguador adornada con todo el esplendor de una recién desposada de Oriente. Partió con la velocidad de un rayo a casa del alcalde y, antes de concluir el día, fue conducido de nuevo el infortunado Perejil ante la presencia de la autoridad.

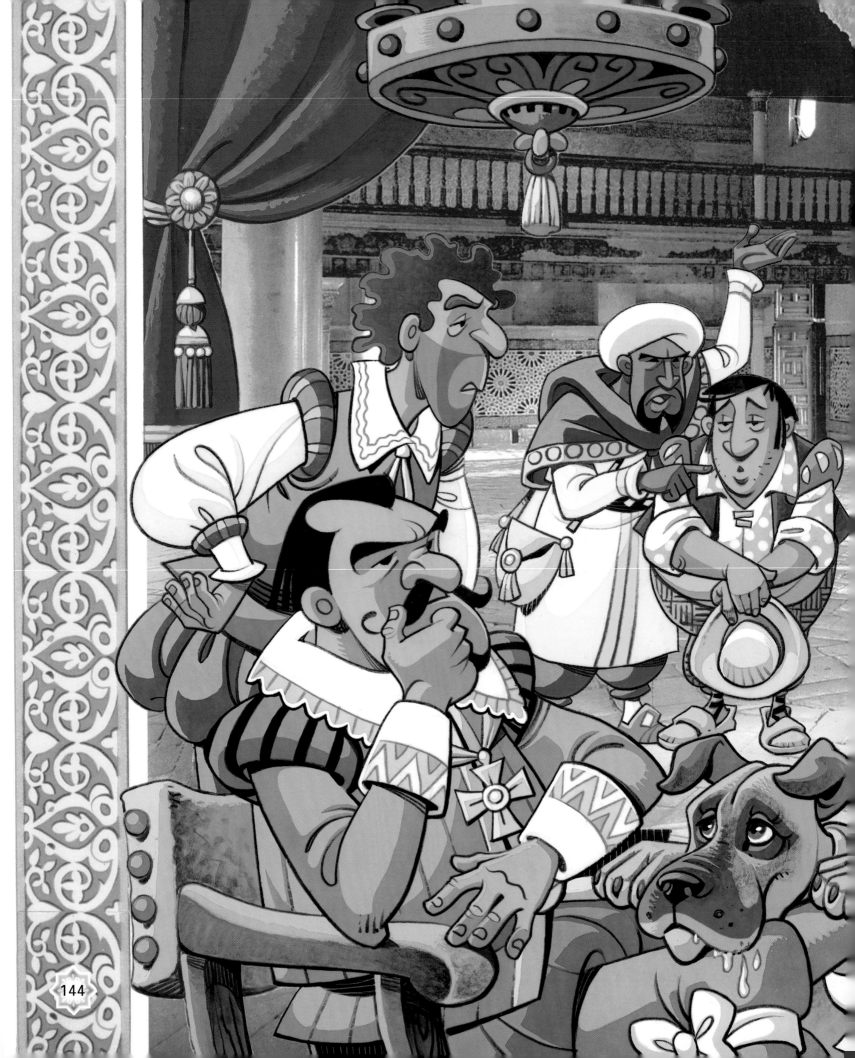

—¿Cómo es esto, miserable? —gritó el alcalde enfurecido—. ¡Ah, tunante! ¡Irás a la horca!

El aterrorizado aguador cayó de hinojos y contó de pleno la maravillosa manera como había ganado su riqueza. El alcalde, el alguacil y el barbero delator escucharon con ávida codicia el cuento fantástico del tesoro encantado. Fue despachado inmediatamente el alguacil para traerse al moro que había asistido al maravilloso conjuro. Vino, en efecto, el musulmán y quedó casi muerto de miedo al verse entre las garras de las arpías de la ley. Cuando vio al aguador de pie con aire tímido y abatido continente, lo comprendió todo.

—¡Bruto, animal! —le dijo al pasar por su lado—, ¿no le advertí que no dijera nada a su mujer?

La descripción que hizo el moro coincidió perfectamente con la de su colega, pero el alcalde fingió no creer nada y empezó a amenazarles con la cárcel y una rigurosa investigación.

—¡Despacito, señor alcalde! —dijo el musulmán recobrando su aplomo y sangre fría—. No desperdicie usted los favores de la fortuna por quererlo todo. Nadie sabe una palabra acerca de este asunto más que nosotros; guardemos, pues, el secreto mutuamente. Aún queda en el subterráneo un inmenso tesoro con el que todos podemos enriquecernos.

El alcalde consultó aparte con el alguacil y luego dijo:

—Esa es una historia bastante extraña que puede ser verdad, pero quiero ser testigo ocular de ella. Esta misma noche, por tanto, va usted a repetir el conjuro en mi presencia; si existe realmente tal tesoro, lo partiremos amigablemente entre nosotros y no hablaremos más del asunto. Pero, si me han engañado ustedes, no esperen misericordia. Mientras tanto, permanecerán custodiados.

Accedieron gustosos a estas condiciones el moro y el aguador, convencidos de que el resultado probaría la verdad de sus palabras.

A eso de la medianoche salió secretamente el alcalde acompañado del alguacil y del barbero, todos bien armados. Condujeron al moro y al aguador como prisioneros, yendo provistos del vigoroso pollino del último para transportar el codiciado tesoro. Llegados a la torre sin haber sido descubiertos por nadie, ataron el asno a una higuera y descendieron hasta el cuarto suelo de la torre.

Sacaron el pergamino y leyó el moro la fórmula del desencantamiento. La tierra tembló como la primera vez, abriéndose el pavimento con un ruido atronador y dejando descubierta la estrecha escalera. El alcalde, el alguacil y el barbero se aterrorizaron y no se atrevieron a bajar por ella, pero el moro y el aguador entraron en la bóveda de más abajo. Cogieron los dos jarrones grandes llenos de monedas de oro y de piedras preciosas, los cuales fueron subidos por Perejil, quien manifestó que aquella era la sola carga que podía llevar el borrico.

—Bastante tenemos por ahora —dijo el moro—; hemos sacado toda cuanta riqueza podemos acarrear sin que nos vean y la suficiente para hacernos tan poderosos como pudiéramos desear.

—¿Pero es que queda todavía más tesoro? —preguntó el alcalde.

—Queda lo de más valía —dijo el moro—; un cofre monstruoso lleno de perlas y piedras preciosas.

—Pues vamos a subir ese cofre en un instante —gritó el codicioso alcalde.

—Yo no bajo más —dijo el moro tenazmente—; esto es bastante para una persona razonable; más me parece superfluo.

—Y yo —añadió el aguador— no sacaré más carga para partir el espinazo a mi pobre burro.

148

Viendo que eran inútiles las órdenes, amenazas y súplicas, se volvió el alcalde a sus dos acompañantes y les dijo:

—Ayudadme a subir el cofre y nos repartiremos su contenido.

No bien vio el moro que habían bajado, se cerró el pavimento con el consiguiente pavoroso estruendo, quedándose sepultados en su seno los tres soberbios personajes.

—¡Cúmplase la voluntad de Alá! —dijo el moro con religiosidad.

Ya no había remedio, por lo cual el moro y el aguador se dirigieron a la ciudad con el burro ricamente cargado. Los dos socios afortunados dividieron amigable y equitativamente su tesoro.

Ambos se marcharon, finalmente, a disfrutar en paz sus riquezas a tierras lejanas. Volvió el moro a Tetuán, su tierra natal, y el gallego se fue a Portugal con su mujer, sus hijos y su jumento.

Allí Perejil llegó a ser un personaje importante, dejando el nombre familiar de Perejil para tomar el sonoro título de don Pedro Gil.

En cuanto al alcalde y sus camaradas, quedaron sepultados en la gran Torre de los Siete Suelos y siguen allí encantados.

El paje y el halcón

POCOS AÑOS DESPUÉS de concluir la Reconquista, Granada era la residencia habitual y favorita de los soberanos españoles, hasta que de ella se vieron ahuyentados por los continuos terremotos, que asolaron multitud de sus edificios e hicieron temblar las viejas torres moriscas hasta sus cimientos.

Pero, pasado el tiempo, se vio honrada como antaño por la visita de personajes reales. La Alhambra, joya de la ciudad, hubo de decorarse y amueblarse a toda prisa para recibir al primer rey borbón, Felipe V, y a su esposa, la reina Isabel, princesa de Parma, con quien se casó en segundas nupcias. Con la llegada de la corte cambió por completo el aspecto del palacio, desierto poco antes.

Entre los individuos de la regia comitiva venía un paje, favorito de la reina, llamado Ruiz de Alarcón. Acababa de cumplir las dieciocho primaveras y era esbelto, bien formado y guapo.

Andaba el bullicioso paje cierta mañana vagando por los bosques del Generalife que dominan la Alhambra y se había llevado para distraerse el halcón predilecto de la reina cuando he aquí que el ave rapaz atisbó un pájaro posado en un árbol y se lanzó a volar en su persecución, desoyendo los llamamientos del paje. Por suerte, este pudo seguir con la vista al pájaro furtivo en su caprichoso vuelo, hasta que lo vio posarse sobre la muralla de la Torre de las Infantas.

Descendió el paje hasta el barranco y se acercó a la torre. Delante de la misma se veía un pequeño jardín. Abrió el mancebo un portillo y avanzó entre cuadros de flores y grupos de rosales hasta llegar a la puerta. Aunque se hallaba cerrada, percibió en ella un agujero que le permitía examinar el interior del misterioso baluarte.

Vio en él un precioso saloncito morisco, de paredes primorosamente labradas, y una fuente de alabastro rodeada de flores; en el centro, suspendida, una jaula dorada que encerraba un lindo pajarillo; debajo de esta, en una silla, un gato durmiendo entre madejas de seda y otros objetos de labor femenina; y junto a la fuente, una guitarra.

Llamó suavemente a la puerta y se dejó ver un hermoso rostro desde un elevado ajimez del edificio, pero enseguida desapareció. Esperaba el mancebo que se abriera la puerta, pero en vano: no se oía ni el más leve sonido dentro. ¿Le habían engañado sus sentidos o era quizá la hermosa aparecida el hada que habitaba la torre? Llamó de nuevo con más fuerza y, después de una breve pausa, apareció por segunda vez el mismo rostro hechicero de una lindísima muchacha de unos quince años.

La saludó el paje quitándose su birrete de plumas y le rogó, en los términos más corteses, que le permitiera subir a la torre para coger su halcón fugitivo.

—Dispensadme, señor, que no abra la puerta —contestó la joven ruborizándose—, pero mi tía me lo tiene prohibido.

—Os lo ruego, hermosa niña; considerad que es el halcón favorito de la reina. ¿Cómo voy a volver al palacio sin él?

—¿Sois, pues, un caballero de la corte?

—Así es, encantadora niña; pero caería en desgracia con la reina si dejase perder ese halcón.

—¡Santa Virgen María! ¡Pues si es precisamente a los caballeros de la corte a quien mi tía me ha encargado con más insistencia que jamás les abra la puerta!

—¡Ya! Pero será a los malos caballeros, y eso está muy bien; mas yo, querida mía, soy un simple e inofensivo paje, que se verá arruinado y perdido si le negáis esta pequeña merced.

Se enterneció el corazón de la joven al ver el apuro del pobre pajecillo. ¿No era una lástima que se arruinara su carrera por cosa tan baladí? Y seguramente aquel joven no podía ser ninguno de los peligrosos cortesanos que su tía le había pintado; por el contrario, ¿no se veía que era gentil y modesto?

El astuto paje vio que las defensas empezaban a vacilar y redobló sus súplicas de un modo tan conmovedor, que no era posible que cupiese la negativa en el corazón de la muchacha; así pues, la ruborosa y tierna guardiana de la torre bajó y abrió la puerta con mano trémula. Si el paje quedó extasiado cuando vio su peregrino rostro en la ventana, más extasiado aún quedó al contemplar delante de sí el conjunto de la linda castellana.

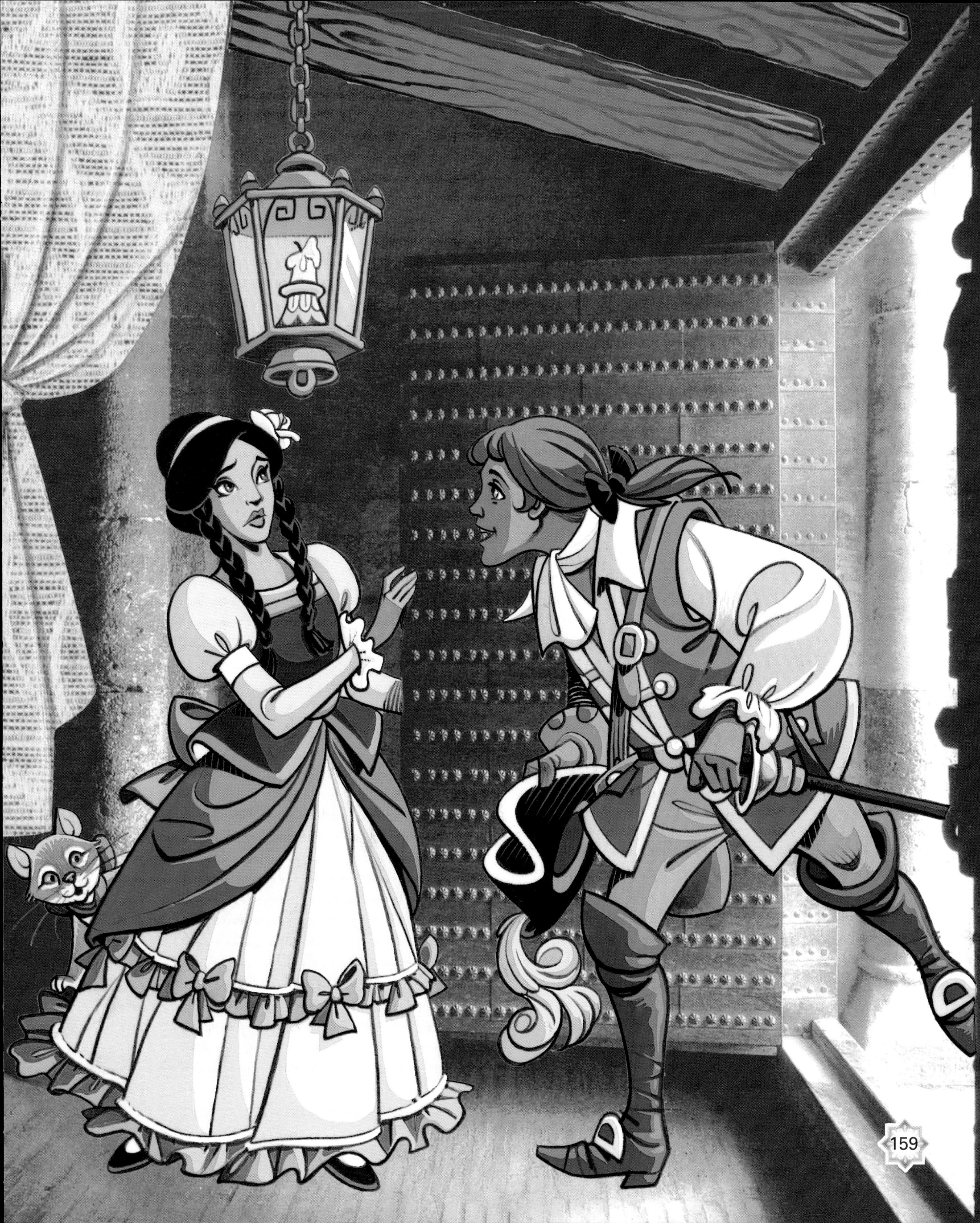

Muy a su pesar, Ruiz de Alarcón se dirigió rápidamente hacia la escalera de caracol en busca de su pájaro.

Apareció después de un breve instante con el pícaro halcón en la mano. La joven, entre tanto, se había sentado junto a la fuente en el saloncito y se hallaba devanando una madeja de seda; pero en su turbación dejó caer el ovillo al suelo. Se apresuró galantemente el paje a recogerlo y, doblando una rodilla en tierra, se lo presentó; mas, al extender la joven la mano para recibirlo, imprimió el mozo en ella un ardiente y amoroso beso.

—¡Jesús María! —exclamó la muchacha ruborizada y llena de confusión, pues nunca había recibido saludo semejante.

El humilde paje le pidió mil perdones, asegurando que era costumbre cortesana rendir de tal modo el homenaje del más profundo respeto.

El enojo de la joven (si es que lo sintió) se apaciguó fácilmente, mas su agitación y aturdimiento continuaron, pues volvió a sentarse y seguía cada vez más ruborizada y cabizbaja; y, aunque concentrada en su tarea, se le enredaba la madeja que trataba de devanar.

El astuto rapaz se dio cuenta de la confusión que había sembrado en el campo enemigo, pero él, que venía gozando de tan gran partido por su gracia y desenvoltura entre las damas de la corte, se mostraba intimidado y balbuciente en presencia de una inocente chiquilla de quince primaveras.

En suma, la sencilla muchacha tenía guardianes más eficaces en su modestia e inocencia que en los cerrojos y rejas con que la guardaba su vigilante tía. Sin embargo, ¿qué corazón femenino podría ser insensible a las primeras emociones del amor? La joven, aun con todo su candor y sencillez, comprendió instintivamente todo lo que la atribulada lengua del paje no pudo expresar, y su corazón rebosaba de alegría al ver por primera vez un amante rendido a sus pies...

La turbación del paje, si bien sincera, duró poco; mas cuando iba el hombre recobrando su habitual aplomo y serenidad, oyó una voz áspera a cierta distancia.

—¡Es mi tía, que vuelve de misa! —gritó la doncella, asustada—. Señor, os ruego que os marchéis.

—No ha de ser hasta que me hayáis concedido esa rosa de vuestra cabeza como grato recuerdo.

Ella la desenredó apresuradamente de sus negras trenzas y le dijo, turbada y ruborosa:

—Tomadla, pero marchaos, por Dios, os lo suplico.

El paje cogió la flor, cubriendo de besos al mismo tiempo la linda mano que se la otorgaba. Después, poniéndose el birrete y colocando el halcón en su puño, se deslizó por el jardín, llevándose consigo el corazón de la hermosa Jacinta.

Cuando la celosa tía penetró en la torre, notó la agitación de su sobrina y el desorden que había en el saloncito; pero Jacinta en unas pocas palabras se lo explicó suficientemente todo:

—Un halcón ha venido persiguiendo su presa hasta el mismo salón.

—¡Dios nos ampare y nos asista! ¿Conque hasta dentro mismo de la torre han de penetrar los halcones? ¡Ay, Dios mío! ¡El pobre pájaro ni en la propia jaula está ya seguro!

La vigilante Fredegunda era una sirvienta muy anciana y experimentada. Miraba con gran terror y desconfianza a lo que ella llamaba «el sexo opuesto».

La sobrina, huérfana de un oficial que pereció en el campo de batalla, se había educado en un convento y había sido sacada hacía poco tiempo de aquel sagrado asilo para encomendarla a la inmediata vigilancia de su tía, bajo cuya celosa tutela vegetaba oscurecida la pobre criatura, como el capullo que florece oculto en un matorral. Y es que, ciertamente, la fresca y virginal hermosura de la muchacha había sido ya vista y admirada por las gentes, a pesar de vivir encerrada en su solitaria morada y, siguiendo la poética costumbre del pueblo andaluz, sus vecinos la apellidaban «la rosa de la Alhambra».

Mientras tanto, el rey don Felipe V decidió abreviar su permanencia en Granada y partió de repente con todo su séquito. La recelosa Fredegunda miraba con ojo atento a la real comitiva. Cuando perdió de vista el último estandarte, volvió gozosa a su torre, pues ya habían concluido todos sus cuidados y desvelos. Pero, con gran sorpresa suya, vio un hermoso potro árabe piafando en el portillo del jardín; y luego, con gran horror, apercibió a través de los rosales a un elegante joven tiernamente rendido a los pies de su sobrina. Al ruido de las pisadas, se apresuró el mozo a dar el último «adiós» a su adorada; y, saltando ágilmente el enrejado de cañas y mirtos, montó su caballo y se perdió de vista con la rapidez del rayo.

La enamorada Jacinta, embargada por una profunda pena, no tuvo en cuenta la que causaba a su buena tía; y arrojándose en sus brazos, empezó a deshacerse en un mar de lágrimas.

—¡Ay de mí! —decía—. ¡Se ha marchado! ¡Se ha marchado! ¡Ya no le veré más!

—¿Que se ha marchado? ¿Quién se ha marchado? ¿Qué joven es ese que he visto a tus pies?

—Un paje de la reina, querida tía, que ha venido a despedirse de mí.

—¡Un paje de la reina, hija mía! —gritó Fredegunda con voz alterada—. Y ¿cuándo has conocido tú a ese paje de la reina?

—El día que el halcón entró en la torre. Era el halcón de la reina y venía en su persecución.

—¡Ay, niña inocente! Has de saber que no hay halcones tan temibles como estos pajes libertinos y, sobre todo, si hacen presa de pájaros tan inexpertos como tú...

Pasaron días, semanas y meses, y nada se volvió a saber del doncel de la reina. Transcurrió el otoño con sus lluvias torrenciales y el paje no regresaba. Pasó el invierno y volvió de nuevo la primavera, con los cantos de los pájaros, y nada se supo del paje.

Entre tanto, la infeliz Jacinta se iba quedando pálida y melancólica; abandonó sus ocupaciones y entretenimientos; sus madejas de seda se quedaron sin devanar; su guitarra, muda. Ya no escuchaba los trinos de los pájaros y sus ojos, antes alegres y brillantes, se iban marchitando de tanto llorar en secreto.

Cierta noche de verano y en horas bastante avanzadas, se quedó la muchacha en el saloncito de la torre, sentada junto a la fuente de alabastro, allí donde el desleal amante se había arrodillado y besado su mano por vez primera. El corazón de la apenada doncella se desgarraba y sus lágrimas corrían abundantes, cayendo gota a gota en la taza de la fuente. Poco a poco comenzó a agitarse el agua y a bullir, formando burbujas, hasta que apareció ante sus ojos una hermosísima figura de mujer ataviada con traje a la morisca.

Jacinta se asustó de tal manera que huyó de allí corriendo. A la mañana siguiente contó cuanto había visto a su tía, pero la buena señora lo creyó todo pura invención de su perturbada fantasía. Tal vez dormida habría estado soñando junto a la supuesta mágica fuente.

—Habrás estado meditando sobre la historia de las tres princesas moras que habitaron en otros tiempos esta torre —añadió— y eso te habrá hecho soñar con ellas.

—¿Qué historia era esa, tía?

—¿No has oído hablar de las tres bellas princesas Zayda, Zorayda y Zorahayda, que estuvieron encerradas en esta torre por el rey moro su padre y que se resolvieron a huir con tres caballeros cristianos? De ellas solo las dos primeras llevaron a cabo su proyecto, habiendo faltado valor a la más pequeña para seguirlas; y esta, Zorahayda, es la que, según se cuenta, murió en la torre.

—Ahora recuerdo haber oído esa historia —dijo Jacinta— y he llorado muchas veces por la desventura de la infortunada Zorahayda.

—Hacías muy bien en dolerte de su desventura —continuó la tía—, pues el amante de Zorahayda fue uno de tus antepasados. Por largos años lloró a su adorada princesa morisca; pero el tiempo mitigó su dolor y se casó con una noble dama española, de la cual tú eres descendiente.

174

La siguiente madrugada, cuando todo estaba en completo silencio, pudo más la curiosidad que el miedo, y fue Jacinta a colocarse de nuevo junto a la fuente. No bien la campana de la lejana Torre de la Vela anunció las doce, cuando la fuente se agitó de nuevo y empezó a bullir el agua hasta que apareció la extraña visión. Era joven y hermosa; sus vestiduras estaban adornadas de riquísimas joyas y llevaba en la mano un laúd. Jacinta quedó temblorosa, pero se calmó al oír la dulce y doliente voz de la aparición y al ver la cariñosa expresión de su melancólico y pálido rostro.

—¡Hija de los mortales! —le dijo—. ¿Qué te aqueja? ¿Por qué turba tu llanto el agua de mi fuente? ¿Por qué interrumpen tus suspiros y tus quejas el tranquilo silencio de la noche?

—Lloro la ingratitud de los hombres y me quejo de mi triste soledad y abandono.

—¡Consuélate, hija mía! Tus penas pueden concluir. Mira en mí una princesa mora que, como tú, fue también muy desdichada en amores. Un caballero cristiano, antecesor tuyo, cautivó mi corazón y me hubiera llevado a su país natal y al seno de tu Iglesia. Me había convertido del todo, pero me faltó vigor que igualara a mi fe y vacilé en el momento supremo; por lo cual el espíritu del mal se apoderó de mí y estoy encantada en esta torre hasta que un alma cristiana quiera romper el mágico hechizo. ¿Quieres hacerlo tú?

—¡Ay, sí, claro que quiero! —contestó la joven, conmovida.

—Pues acércate y nada temas; mete tu mano en la fuente, rocía el agua sobre mí y bautízame según la costumbre de tu religión; así concluirá el encantamiento y mi alma en pena alcanzará el descanso.

La tímida doncella se aproximó con paso vacilante, introdujo la mano en la fuente y, cogiendo de ella un poco de agua, la derramó sobre el pálido rostro de la lúgubre aparición. Se sonrió la bella visión y, dejando caer su laúd a los pies de Jacinta, cruzó los brazos sobre el pecho y se desvaneció, tornándose, al parecer, en una lluvia de gotas de rocío que caían cuan perlas sobre la fuente.

Jacinta se retiró del salón con cierto terror
mezclado con asombro. Apenas pudo conciliar el sueño en
aquella noche y, cuando se despertó al romper el día, por la
agitación con que había dormido le pareció que todo ello
había sido un delirante sueño. Mas cuando bajó al saloncito
vio confirmada la realidad de la aparición, pues al borde de la
fuente se encontró el laúd de plata, brillando a los rayos del
sol naciente.

Buscó rápidamente a su tía y le contó todo lo que le había sucedido, exhortándola para que viniese a ver el laúd como testimonio de la veracidad de su historia. Si la buena señora abrigaba alguna duda, se desvaneció por completo cuando Jacinta pulsó el instrumento, pues le arrancaba melodías tan arrebatadoras que se conmovió hasta el helado corazón de Fredegunda. ¿Qué otra cosa sino una melodía sobrenatural podía producir efecto tan prodigioso?

La virtud extraordinaria del laúd se hizo cada día más famosa: cuantos transitaban cerca de la torre se detenían encantados, sin atreverse a respirar, enteramente arrobados. La fama de este prodigio cundió rápidamente por todas partes; la celebridad de su maravilloso poder se extendió de ciudad en ciudad por toda Andalucía, tan aficionada a la música, donde no se hablaba de otro asunto sino de la bella rosa de la Alhambra.

Mientras tanto, otros vientos corrían en la corte de España. A su monarca, Felipe V, desgraciado hipocondríaco, sujeto a toda clase de manías, a veces le daba por guardar cama semanas enteras.

No se encontró otro remedio más eficaz para calmar las melancolías del augusto monarca que el poder de la música. La reina, por consiguiente, cuidó de rodearse de los más celebrados músicos y cantores de la época. Pero la enfermedad del rey persistía.

Por aquel tiempo también llegó a la corte el renombre de la artista del laúd, que estaba causando la admiración de toda Andalucía, e inmediatamente la esposa del rey despachó emisarios para que la condujeran a la residencia de la corte.

Pocos días habían transcurrido cuando, al hallarse paseando la reina en compañía de sus damas de honor por los jardines de su residencia, llevaron ante ella a la celebrada artista granadina. La acompañaba la vigilante Fredegunda, que informó a su majestad sobre la historia y genealogía de la preciosa muchacha.

—Si tu habilidad corre pareja con tu nombradía —le dijo a la joven— y consigues desterrar el mal espíritu de que está poseído el soberano, tu propia suerte quedará de aquí en adelante a mi cuidado y te colmaré de honores y de riquezas.

Impaciente por hacer la prueba, la condujo a la habitación del monarca. Jacinta la siguió con los ojos bajos por entre la muchedumbre de guardias y cortesanos, hasta que llegaron a una imponente y suntuosa cámara tapizada de negro. Sobre un catafalco se hallaba de cuerpo presente el rey, que se había obcecado en que estaba muerto y habían de darle sepultura.

Penetró la augusta
señora silenciosamente en la regia cámara y, señalando un
escabel que había en un oscuro rincón, dio a entender a la
joven que tomara asiento y que podía comenzar. Vibró esta al
principio las cuerdas de su laúd con mano temblorosa, pero se
serenó después y se entusiasmó más y más conforme iba
tocando, y dejó oír una melodía tan celestial que todos los
presentes dudaban si era producida por persona humana. El
monarca, como ya se consideraba que estaba en el mundo de
los espíritus, creyó que sería alguna melodía de ángeles.

La sublime artista fue cambiando insensiblemente de tema y, acompañada de su instrumento, empezó a cantar un romance heroico primoroso, en el que se ensalzaban las antiguas glorias de la Alhambra y las empresas guerreras de los moros. Su alma entera se comunicó a su canto, pues el recuerdo de la Alhambra estaba íntimamente unido a la historia de su amor. Resonaban en el fúnebre aposento las notas de aquel hermoso canto vivificador, que al fin pudieron levantar el entristecido corazón del monarca. Alzó este la cabeza y miró a su alrededor; se sentó en su féretro y empezaron sus ojos a animarse, hasta que, por último, se incorporó y pidió su espada y sus ropas.

El triunfo de la música, del mágico laúd, fue del todo completo. El demonio de la melancolía fue arrojado y pudo decirse, en verdad, que un difunto volvía a la vida.

Se abrieron las ventanas del departamento, los brillantes resplandores del sol bañaron la cámara que poco antes era mansión de tristeza y todos los ojos buscaron a la hermosa cantora; pero se había desmayado al ver de repente a su amado Ruiz de Alarcón, cuyos brazos evitaron que la muchacha cayera al suelo...

Se casaron los enamorados en la Alhambra, con la venia de los reyes, que pasaron a considerar a la joven pareja sus protegidos y los llenaron de favores y de honores; y también con el contento de Fredegunda, ablandado por fin su seco corazón por la alegría de Jacinta y acaso también por los doblones reales...

Índice

Prólogo

Cuentos